M000013279

tascabili

DELLO STESSO AUTORE
PRESSO LE NOSTRE EDIZIONI:

Giulia 1300 e altri miracoli
We Are Family

LA BANDA DEGLI INVISIBILI

Fabio Bartolomei

LA BANDA DEGLI INVISIBILI

edizioni e/o

Edizioni e/o
via Camozzi, 1
00195 Roma
info@edizionieo.it
www.edizionieo.it

I fatti e i personaggi rappresentati nella seguente opera e i nomi e i dialoghi ivi contenuti sono unicamente frutto dell'immaginazione e della libera espressione artistica dell'autore. Ogni similitudine, riferimento o identificazione con fatti, persone, nomi o luoghi reali è puramente casuale e non intenzionale.

Copyright © 2012 by Edizioni e/o

Prima edizione Tascabili e/o marzo 2013

Progetto grafico/Emanuele Ragnisco e Luca Dentale
Illustrazione in copertina/Emanuele Ragnisco
www.mekkanografici.com

ISBN 978-88-6632-307-5

Ad Anna Teresa, madre combattente

1.

I pomeriggi in poltrona, le interminabili partite a carte e le crociate contro i vicini di casa rumorosi non hanno nulla a che vedere con i capelli bianchi, le dentiere e i femori in titanio. Mi rifiuto di considerarli tutti e senza distinzioni sintomi della vecchiaia. Per come la vedo io, decadimento fisico e degrado mentale richiedono approcci diametralmente opposti: dignitosa accettazione il primo, fiera opposizione il secondo. È anche per questo che non ho mai considerato la meteorologia un argomento di conversazione. Guardo il cielo e se c'è il sole o la pioggia non provo emozioni particolari che valga la pena condividere. Lo stesso vale per il mio amico Filippo, quindi se ora stiamo ricordando con malinconia le mezze stagioni è per pure esigenze di copione.

«Pare che verrà a piovere» dico.

«Chi ci capisce più niente con questo tempo...».

«Eh, stiamo diventando un Paese tropicale» aggiungo, e intanto con la coda dell'occhio osservo un'auto che arriva a tutta velocità. «Eccone una... pronto?».

«Chi fa lo sciancato?» mi chiede Filippo.

«È già deciso, tu l'hai fatto ieri, oggi tocca a me».

«Oh Angelo, ti sei alzato nervoso? Fallo tu lo sciancato, sai che mi frega...».

«Vai vai! Che se no ti mette sotto».

Filippo fa un passo deciso sulle strisce pedonali. L'auto blindata blocca le ruote con uno stridio lungo e inquietante. Per costringere il mezzo a una frenata così rumorosa ci vuole perizia, bisogna valutare bene la velocità, calcolare lo spazio d'arresto e poi scendere dal marciapiede repentinamente, dopo aver recitato a dovere la parte dei vecchietti che ammazzano il tempo conversando. L'effetto sorpresa è fondamentale. L'auto si ferma a neanche mezzo metro da Filippo che, devo ammetterlo, è il migliore a mimare l'angina pectoris o un principio d'infarto. Preme la mano destra sullo sterno mentre con la sinistra si appoggia sul cofano dell'auto, poi allarga le braccia all'indirizzo del conducente con aria spaventata e indifesa.

«Be', ma insomma, le strisce...» bofonchia ansimante.

Puoi essere certo di aver fatto davvero un buon lavoro quando dalla fermata dell'autobus, che è a due passi dalle strisce pedonali, si levano all'indirizzo dell'auto blu un coro di mugugni e qualche vaffanculo in sordina. Attraversiamo la strada in fila indiana, con lentezza esasperante, raccogliendo gli sguardi di approvazione degli astanti. Io cammino zoppicando, la mia gamba destra, rigida, avanza descrivendo ampi semicerchi a filo dell'asfalto. Arrivato sulla linea di mezzeria mi volto verso il finestrino posteriore dell'auto.

«Buon lavoro, onorevole» dico.

Il blocco delle auto blu sulla corsia preferenziale di via Ostiense è un'ideuccia che ci è venuta in mente qualche mese fa. Avevamo letto sul giornale che una proposta per ridurre i privilegi dei parlamentari era stata bocciata dall'aula a grandissima maggioranza e così abbiamo deciso di far capire a questi signori come la pensiamo in proposito. Da quel giorno, quasi ogni mattina alle otto ci appostiamo sulle strisce pedonali e rallentiamo democraticamente tutte le auto blu che sfrecciano sulla preferenziale. Sembrerà strano, ma queste due ore di attività mattutina ci aiutano a passare meglio il tempo, a sentirci meno inutili.

«Con la prossima facciamo la gag dello svenimento?» propongo.

«Ma non avete niente di meglio da fare?» ci chiede malignamente qualcuno. In effetti no, alla nostra età non abbiamo niente di meglio da fare che continuare a occuparci delle assurdità del nostro Paese. Non lo nascondo, se avessimo più soldi da spendere forse passeremmo la giornata a decidere in quale ristorante andare a mangiare o quale città termale visitare nel fine settimana, ma visto che di distrazioni ce ne sono concesse poche ci vediamo costretti a occuparci delle ingiustizie della viabilità urbana.

Secondo me lo scenario politico italiano è ben rappresentato dalle corsie preferenziali. L'idea di fondo è buona, è comunista, con queste vie agevolate si premia il popolo che va in autobus e sceglie la via virtuosa del mezzo pubblico, si premia anche il borghese che va in taxi – perché il nuovo comunismo strizza giustamente l'occhio alla classe media – e si agevola chiunque, a prescindere dal ceto sociale, si trovi in difficoltà, consentendo un passaggio rapido alle ambulanze, ai vigili del fuoco e alla polizia. Le corsie preferenziali sono potenzialmente un meraviglioso esempio di armonia sociale: nessun automobilista bloccato nel traffico guarda con invidia l'autobus che corre via senza intoppi e nessun passeggero dell'autobus guarda con invidia il comfort di quegli abitacoli metallizzati. Poi arrivano le auto blu, e l'armonia dello scenario va a farsi benedire. Uno schiaffo al comunismo e alla democrazia, una dichiarazione cafona che no, non tutti i lavoratori sono uguali. E naturalmente, visto che in questo Paese la sfacciataggine è direttamente proporzionale alla portata dell'incarico istituzionale che si ricopre, sono proprio questi lavoratori meno uguali che poi si presentano in tv con il piglio risoluto e parlano di tolleranza zero verso i furbi. Vorrei che un giorno la nostra azione dimostrativa raccogliesse il sostegno popolare e che una mattina ci si ritrovasse in massa per obbligare le auto blu a incolonnarsi con tutte le altre. Sarebbe anche educativo. Per un ministro è difficile elaborare norme antitraffico efficaci senza avere un'esperienza diretta del problema.

2.

Generalmente la gag dello svenimento o della busta di arance che si rompe la facciamo durante l'ultima settimana del mese, quando l'impossibilità di regalarci qualche svago, come il cinema o i bivacchi al bar, ci rende più determinati e molesti. L'unica altra distrazione che possiamo permetterci sono delle lunghe ronde in giro per il nostro quartiere, la Montagnola, ma in quel caso non troviamo nulla di meglio da fare che rompere le scatole al prossimo.

«Signorina! Che fa, concima il marciapiede?» brontola Ettore.

«Come?».

«Nun la raccoglie?» ribadisce Osvaldo.

La ragazza non sa che Ettore e Osvaldo sono di pessimo umore quando torniamo dal blocco delle auto blu. Vorrebbero venire con noi ma sono i più vecchi del gruppo, e per loro prendere l'autobus è diventato un problema.

«Ma con tutte le cacche che ce stanno in giro, proprio quella del mio cane je dà fastidio?» gli risponde stizzita.

La biondina, vestita come se fosse appena tornata da un provino per un ruolo da prostituta, se ne va con aria trionfante trascinandosi dietro quel produttore nano di sterco che oggi va di moda considerare *cane*.

«Ragazzi, vogliamo dividerci per fare prima?» propongo.

«Dar tabaccaio ce vado io» dice Osvaldo.

«Io passo a casa» si offre Ettore.

«Okay, allora la seguiamo noi» dico, arruolando Filippo.

Ci ritroviamo in piazza dopo una quindicina di minuti, Osvaldo con una busta da lettere di quelle imbottite e i francobolli, Ettore con un sacchetto di plastica ripieno degli escrementi del cane, Filippo e io con l'indirizzo della tizia.

«Alla cortese attenzione della signorina Ramona Reguzzoni, via Peronio quindici» dico.

È la terza busta che spediamo questo mese. Con Filippo come pedinatore il successo è garantito: segue la vittima fino al portone tenendosi a grande distanza; poi, con uno scatto di cui è capace solo lui, si avvicina per individuare il pulsante premuto sul citofono e leggere il cognome. A volte, se il soggetto non si limita a un telegrafico: «So' io!», riesce anche a carpire il nome di battesimo.

Imbuchiamo la missiva e, mentre Ettore si lava le mani alla fontanella, sondiamo il contenuto delle tasche per capire se possiamo permetterci una serata in pizzeria.

«Io ho dodici euro» dice Filippo.

«Mmmh, io non arrivo a dieci. Tu, Ettore?» chiedo.

«Dieci, di più non posso».

«Ragazzi, andate voi, io me ritrovo co' 'na manciata de monete che non basta manco per un supplì» dice Osvaldo.

«Vabbè, se ne riparla appena arriva la pensione, poi fa anche freddo stasera» dico.

«Si va a casa?» mi chiede Filippo.

«Ma sì, quasi quasi».

Filippo ha settantotto anni, Ettore ottantanove. In mezzo ci siamo Osvaldo e io. Non siamo decrepiti e nemmeno privi di entusiasmo, ecco perché ci pesa così tanto tornare a casa. Cerco di prenderla bene, mi dico che finalmente potrò mettere le pantofole e guardare un po' di tv in santa pace, ma lo so perfettamente che mi sto prendendo in giro, che pantofole più tv è uguale a: tristezza insopportabile. Da vecchi non si dovrebbe mai essere costretti ad andare a casa perché non si hanno i soldi per sedersi in una pizzeria, a casa bisognerebbe tornarci solo per dormire, stanchi morti, con le gambe a pezzi.

Andrà a finire che gironzolerò in salotto, poi prenderò un foglio, una penna e inizierò a studiare un sistema per potermi permettere qualche svago anche nella quarta settimana. Sono un reduce della guerra, dell'austerity e, di recente, della crisi del duemilaotto, quindi di sacrifici ne so qualcosa. Però i politici ripetono che il peggio è alle spalle e una volta tanto voglio credere alle loro parole perché, francamente, adesso ho proprio bisogno di sperare che sia giunto anche per me il momento di spassarmela un po'.

Con gli anni ho perso la capacità di sorprendermi: dopo aver ispezionato in lungo e in largo il salotto, eccomi seduto al tavolo con la penna in mano e un foglio bianco davanti. Scrivo l'importo della pensione, sottraggo il condominio, il riscaldamento, il gas, l'elettricità, la spesa settimanale e sul misero avanzo inizio a elaborare una serie di spregiudicate ipotesi di risparmio. Intanto ho di nuovo il ronzio alle orecchie e sento attivarsi il meccanismo perverso tipico di chi soffre di ipertensione: "Sarà la pressione alta o un sibilo passeggero?" ti chiedi, e intanto che ci pensi ti viene l'ansia e la pressione sale comunque. Prendi l'apparecchio per misurarla e l'attesa dei numeri sul display ti fa sentire peggio. Poi immancabile arriva quel sinistro senso di oppressione al petto. I numeri dicono che la pressione è alta, allora la misuri di nuovo, perché l'apparecchio che ti sei potuto permettere non è affidabile, e infatti ora il display dice che i valori sono normali. Quindi fai una terza misurazione: vince la pressione alta due a uno. Cerchi le gocce da mettere sotto la lingua, non le trovi, allora decidi di metterti sul letto, immobile vicino al telefono, e ti ripeti nome cognome indirizzo numero civico e interno, perché in caso di chiamata al centodiciotto vuoi compensare un loro eventuale ritardo nella risposta con una richiesta d'aiuto lampo.

Sdraiato su un fianco, con le mani giunte strette tra le ginocchia, penso che il mese prossimo voglio provare a fare così: coprifuoco dopo le nove, luci spente e televisore acceso soltanto per vedere il telegiornale. Niente gas per cucinare, solo panini e scatolette. Via tutte le spese superflue, niente giornale, niente pantaloni nuovi. Voglio proprio vedere se almeno così riesco a non rinunciare a una pizza ogni tanto.

Testamento I

Roma, 18 giugno 2009.

Io, Angelo Di Ventura, nel pieno possesso delle mie facoltà fisiche e mentali, con la presente scrittura dispongo che la proprietà di tutte le mie sostanze venga suddivisa come segue: il cinquanta percento in parti uguali ai miei due nipoti, il rimanente cinquanta percento ai miei amici Filippo Baldi, Laura De Bernardinis, Ettore Pacini e Osvaldo Antonelli, con la precisa richiesta che ne facciano uso tutti i giorni per i loro passatempi preferiti.

Nomino mio esecutore testamentario il signor Filippo Baldi.

3.

Sei povero? Colpa tua.

Per un po' ho anche avuto i sensi di colpa. Ma in che cosa ho sbagliato se sono arrivato alla vecchiaia senza aver raggiunto la serenità economica? Ripenso ai soldi che ho buttato nella mia vita, ma non mi viene in mente molto. Certo, negli anni Settanta avrei potuto comprare la Seicento invece della Ottoecinquanta, come molti nell'ottantadue ho acquistato un televisore a colori per vedere i mondiali, poi mi ricordo una cena di pesce da trentamila lire a persona e un maglione di cashmere acquistato per imbarazzo, avevo letto sull'etichetta diciassettemila lire, invece alla cassa mi sono accorto che il prezzo era centodiciassettemila, e mi sono vergognato di rimetterlo sullo scaffale. Per fortuna che c'è Filippo. Gli ho confidato il mio rammarico e lui ha fatto come fa di solito: mi ha dato due colpetti sulla spalla, mi ha sorriso, poi si è perso con lo sguardo nel vuoto. Un paio d'ore più tardi, mentre leggevamo il giornale, all'improvviso m'ha fatto una lavata di capo che ancora me la ricordo: «Ma cos'è questo stato di soggezione? Orgoglio, perdio! Qualsiasi lavoro dovrebbe garantire una pensione dignitosa! E qualsiasi lavoratore dovrebbe ribellarsi, se dopo una vita di contributi non può permettersi di uscire quando ne ha voglia!».

Ha ragione. Certo, capisco che per un grande imprenditore, che ha avuto il coraggio di assumersi dei rischi enormi, sia difficile appassionarsi ai problemi di chi non ha avuto la sua stessa ambizione, di chi come me ha lavorato per tutta la vita in una tipografia come linotipista, senza mai rischiare. Il punto è che io ho rischiato fin troppo, da giovane. Sono un ex partigiano, io. Non un vecchio che racconta di aver combattuto i nazifascisti anche se il suo atto più eroico è stata una pernacchia al duce tra le mura domestiche, io sono un *partigiano vero*, di quelli dietro le barricate con un fucile in mano, di quelli annidati nelle campagne per tendere agguati ai convogli della Wehrmacht. Un eroe, forse, ma di sicuro non del genere che va di moda oggi. Ero magro, incapace di tirare un pugno, spaventato dagli spari, ma non mi sono mai tirato indietro. Ho iniziato per gioco, come tutti in quel periodo, perché all'epoca la Montagnola era solo una borgata, i nazisti non c'erano, e dirci che dovevamo entrare nella resistenza era facile. Lo divenne ancora di più quando si sparse la voce che gli americani stavano per arrivare a Roma e dunque imbracciare un fucile non era altro che una sbruffonata per impressionare le ragazze. Poi, invece della Quinta armata americana arrivò la Seconda divisione dei paracadutisti tedeschi e da un giorno all'altro ci ritrovammo dietro le barricate.

Era il dieci settembre millenovecentoquarantatré, stavo accucciato dietro una catasta di mobili e pensavo: appena arrivano i soldati trovo una scusa e me la batto, dico che vado a prendere le munizioni, invento qualcosa e lascio fare la guerra a chi la sa fare. I nazisti arrivarono, udii i primi spari in lontananza e pensai di restare lì ancora qualche minuto, giusto il tempo di tirare un paio di colpi a casaccio. Quando i proiettili cominciarono a schiantarsi sulla barricata cambiai subito idea. Mentre stavo decidendo se strisciare via lentamente oppure darmela a gambe a tutta velocità, vidi un mio amico accasciarsi al suolo. Luigi se la faceva sotto più di me, stava rannicchiato dietro delle cassette piene di mattoni, e io ho pensato: è al sicuro, non si farà mai beccare, lui. Invece doveva essere impazzito, perché quando partirono le raffiche si alzò in piedi e iniziò a sparare con la rivoltella rubata al padre carabiniere. Stramazzò senza emettere un lamento. Forse, se fossi corso da lui, se l'avessi stretto tra le braccia, adesso non avrei gli incubi. Invece sono scappato via, e ancora oggi quando ne parlo mi trema la voce. La notte sento spesso il rumore degli spari. Tra tutti gli echi che ho nella testa cerco di isolare il suono del proiettile che ha centrato Luigi. Ricordo un sibilo, poi un rumore di legno spezzato, un altro di mattone scheggiato e diversi di lamiera perforata, infine un colpo che sembrava aver centrato un cuscino. È quest'ultima eco che mi dà i brividi. Non c'erano cuscini sulla barricata: era il suono del proiettile che impattava il corpo del mio amico, penso, e ancora ci sto male.

Avevo diciannove anni, stringevo il tricolore in una mano e il fucile nell'altra, e davanti allo specchio offrivo il petto al fuoco nemico. Ero uno spavaldo da salotto, animato da un patriottismo ingenuo e meraviglioso. È stato il senso di colpa a rendermi un assassino. Fino ad allora l'amore per la patria mi aveva dato il coraggio di fare un paio di turni di vedetta, e quell'abbozzo di resistenza sulla barricata. Niente di più. Poi, il rimorso per non aver aiutato il mio amico, per essere sopravvissuto, per non aver avuto un'unghia del suo coraggio o della sua follia, mi ha reso freddo e determinato. Sono scappato dalla Montagnola e mi sono unito a un gruppo di partigiani. Nell'agguato notturno a un convoglio in fuga ho sparato a un tedesco. In un attentato ho lanciato una granata dentro una stanza, ferendo tre collaborazionisti. Questi i miei esordi. Poi ho fatto parte di un commando che ha bloccato per un pomeriggio un intero reparto motorizzato sulla via Flaminia. Eravamo meno della metà di loro e armati in maniera miserabile, quello sì che fu eroismo, una vera e gloriosa azione di guerra. I tedeschi erano stanchi e demotivati, noi stanchi e agguerriti: non abbiamo indietreggiato di un passo finché loro non hanno ricevuto rinforzi. Nella mia vita non ho mai tirato bilanci, non so se sono stato davvero utile, se posso considerarmi un eroe. Di sicuro mi considero un partigiano, uno che non è rimasto con le mani in mano, e che ora dorme male.

Alcuni dei miei amici non sono da meno. Ettore, carrista nell'Ariete, è stato ferito appena sbarcato in Africa e grazie a quell'imboscata degli inglesi è scampato alla battaglia di El-Alamein. Nello scontro è rimasto intrappolato nel carro che andava a fuoco e ora ha la schiena che sembra un foglio di plastica spiegazzato. Tornato in Italia, dopo cinque mesi di ospedale si è unito ai partigiani. Lui era nel caposaldo del ponte della Magliana e fu ferito anche lì dal primo colpo sparato dai tedeschi. Teneva di mira un tenente che con un drappello di uomini fingeva di avvicinarsi per parlamentare e all'improvviso si è ritrovato a terra con una gamba che spruzzava sangue come un idrante.

Osvaldo non era un partigiano combattente, ma il quartiere della Montagnola gli deve molto. Rischiava la pelle rubando nei magazzini dei borsari neri e, approfittando del suo lavoro di becchino, portava cibo alla borgata nascondendolo dentro le bare, a volte vuote, spesso no. Filippo era troppo piccolo per fare il partigiano ma la sua quota di paura e sofferenza l'ha pagata vedendo suo padre portato via a forza e soprattutto non vedendolo più ritornare. Ancora oggi, a sessantasei anni di distanza, se mentre è soprappensiero qualcuno gli dice: "Devo andare, ci vediamo dopo", lui risponde: "Sì papà".

4.

Mi piace passare il tempo con Filippo. Fino a qualche anno fa avevamo dei progetti, tanti, almeno due al giorno. Cose da fare, viaggi da programmare e il nostro preferito: l'acquisto della pilotina, una barchetta a motore di sei metri con una minuscola cabina. Quanto bastava per fare dei bei giri sottocosta, e soprattutto delle meravigliose transoceaniche mentali. La siamo anche andati a vedere, motore e scafo a parte era un rudere, ma l'idea di metterci a scartavetrare e ridipingere non ci dispiaceva affatto. Il prezzo era di diecimila euro, un affare, non per noi ma un affare. Ci siamo messi sotto a risparmiare con l'idea di racimolare entro un anno il denaro necessario. Purtroppo dopo sei mesi la pilotina è stata venduta e comunque noi, privandoci di tutto, eravamo riusciti a risparmiare appena duecentoquaranta euro. Però non ci siamo persi d'animo, almeno non subito: abbiamo comprato delle carte nautiche e continuato a fantasticare per mesi su traversate fino in Sardegna o in Sicilia. Poi ci siamo ridotti a pianificare l'acquisto di una barchetta di tre metri e una traversata Ostia-Ponza, infine a considerare l'acquisto di un gommone per fare un po' di pesca in mare aperto. Per rendere la cosa meno triste ci siamo detti: «Potremmo vendere il pesce e racimolare il denaro per una bella pilotina». Dopo due anni ci siamo arresi.

Adesso, quando non siamo con gli altri, ce ne stiamo spesso a casa sua a sfogliare i vecchi numeri di *Grand Hotel*. Filippo è alto, ha gli occhi verdi e da ragazzo ha cercato di sfondare come attore di fotoromanzi. Purtroppo è rimasto relegato a ruoli secondari e appare in pochissime scene. In una storia fa il cameriere della contessa. Compare in una foto con un fumetto che dice: "La signora gradisce dell'altro?", il sottinteso è rimarcato quattro scene dopo quando nell'atto di congedarsi dalla stanza da letto della nobildonna dice: "Se c'è altro che posso fare non esiti a chiamarmi". Negli altri numeri ricopre i ruoli di cadavere nel parco, guardia svizzera e passante preso in ostaggio. Ci facciamo qualche risata, mi racconta degli aneddoti dei set ma la maggior parte del tempo ormai la passiamo in silenzio. Il fatto è che l'amicizia con Filippo si è sempre alimentata con i progetti e senza di loro, come involontaria forma di rispetto, abbiamo preferito un dignitoso silenzio, esattamente quello che ci stiamo godendo da più di un'ora seduti nel piccolo bar all'aperto del centro anziani.

La Montagnola è un quartiere popolare, per certi aspetti un paesino. Piazza, chiesa, bar della piazza, negozi di prima necessità e mercato rionale. C'è anche un bel centro anziani, all'interno di un piccolo parco che negli anni Sessanta è stato circondato da condomini di otto piani con il preciso intento di lasciare i vecchi all'ombra per tre quarti della giornata. Anche se oggi il quartiere si è ingrandito, nei dintorni della piazza ci si conosce tutti. Quindi il fatto che Guido, il postino, ci raggiunga con quella faccia non ci sorprende affatto.

«La piantate di spedire merda?» dice a voce alta sperando di metterci in imbarazzo.

«Qualcuno ha spedito merda?» rispondo tranquillo.

«Sì, qualcuno ha spedito merda con un sacchetto bucato… e mi sono ritrovato a maneggiare una busta tutta sporca!».

«Non era bucato» ribatte Filippo.

«Ma l'hai consegnata, sì?» chiedo.

«Ma perché spedirla? Se avete l'indirizzo non fate prima a lasciarla direttamente nella cassetta delle lettere?».

«Evidentemente chi la manda vuole che ci sia sopra il timbro postale» dico.

«Per fare le cose per bene» aggiunge Filippo.

«Se quel qualcuno potesse farla finita, visto che tra un mese vado in pensione!».

«Cosa mi sono perso?» chiede Ettore che affretta il passo per raggiungerci.

Cammina sempre impettito anche se ormai lo stomaco ha superato lo sterno di buoni trenta centimetri e la postura fa strabordare il doppio mento sul colletto della camicia.

«Guido va in pensione!» gli urlo.

«E adesso chi ce la consegna la cacca?» chiede mentre prende posto sulla panchina.

Poi incrocia lo sguardo di Guido e cambia registro.

«Vai in pensione e ce lo dici così? Qui bisogna festeggiare. Fernanda, una bottiglia di vino!» grida levando un braccio verso il bancone del bar.

«Che c'hai l'andropausa alle gambe?» risponde Fernanda senza neanche alzare lo sguardo dal suo settimanale scandalistico.

Ettore schiocca le dita nervosamente. Lei pure ma svogliatamente. E il siparietto si chiude.

«Allora ci verrai a trovare qui, così si passa un po' di tempo insieme» dico a Guido.

«Sì certo, si sta in compagnia, si spedisce merda... no cari, io mi trasferisco in campagna!».

«Accidenti, mi dispiace tanto».

«Ma piantala, ci vado volentieri. Lì la vita non costa niente, ho il mio orticello... sempre meglio che fare il morto di fame in città».

«Magari ti si viene a trovare noi, allora».

«Ecco, questa è la prima cosa sensata che dite. Prendete la macchina e in quaranta minuti siete da me, ci si fa una bella bevuta, una mangiata... vedrete che posto».

E quindi addio a Guido il postino, penso, qui la macchina non ce l'ha più nessuno. Filippo, che ha fatto il tassista per tutta la vita e che per la guida aveva un'autentica passione, ha resistito più di tutti ma alla fine ha dovuto venderla, o pagava l'assicurazione o il condominio, tutt'e due non ce la faceva più.

«Oh, Guido! Via Forcella quarantacinque... interno dodici» gli urlo mentre esce dal parco.

«Luzzati Marescotti!... Citofonare almeno due volte che la signora è sorda».

«Via Bonfante undici interno sette?» urla Filippo.

«A Via Bonfante undici non c'è l'interno sette, c'è la copisteria Molajoli S.n.c. che il lunedì mattina è chiusa e "Pregasi lasciare la posta al portiere del civico tredici. Grazie!"».

5.

«E ora una firma lì, dove ho messo la “x”» precisa la giovane impiegata della banca.

«Oddio, nun me state così intorno che m’emoziono tutta…» ci dice Lauretta.

«Dài Filippo, non c’è mica bisogno che stiamo qui a guardare. Ti aspettiamo fuori Lauretta, va bene?» le chiedo.

«*Oui, s’il vous plaît*» mi risponde con il suo francese da corso di lingue a dispense settimanali.

Lauretta, classe trentadue, è la ragazza del gruppo. Ha un viso d’angelo portato in trionfo da un corpo di un metro e settantacinque, spalle da corazziere e due tette su cui hanno fantasticato tre generazioni di montagnolini. Ha camminato scalza fino a quattordici anni perché la sua era una delle tante famiglie della borgata che non potevano permettersi neanche un paio di scarpe per la domenica. Da che la conosco, cioè da sempre, non è mai stata malata, neanche un raffreddore, ed è l’unica anziana del quartiere a non fare la fila dal medico della mutua per il vaccino antinfluenzale. Credo abbia frequentato la scuola fino alla terza elementare, quanto le bastava per acquisire i rudimenti necessari alla gestione di un banco di frutta. Ma non è il tipo che si arrende, lei: visto che con l’italiano ha fallito adesso si è messa a studiare il francese. Ha rimediato chissà dove questo corso in cassette e non fa più un passo senza mettere su le cuffie del suo registratore portatile.

Mentre attendo sul marciapiede con Filippo, non resisto e la osservo attraverso i vetri blindati della banca. Tiene il viso a pochi centimetri dal foglio, così che le labbra possano sussurrare alla mano, suggerirle sillabe, confortarla nel ricamo delle lettere. La-uuu-ra De Beee-r-narrr-di-nis.

Ha le gambe gonfie, è appesantita, ma per me è comunque la ragazza più bella del mondo. Non so se capita a tutti: io ho bloccato un’immagine tanti anni fa e per me è sempre la ragazza che un sabato mattina ho visto arrivare sulla piazza a piedi nudi, con un grosso fascio di gramigna bagnata sulla testa e un vestito a fiori, umido di sudore e di acqua, che le aderiva ai fianchi. Era una madonna, la Madonna della Gramigna, con un corpo che oggi, a una ragazza spregiudicata, potrebbe fruttare anche settemila euro a serata.

All'epoca speravo di andare all'università, ambivo alla scalata sociale, cercavo con scarso successo di frequentare gli ambienti borghesi e a Lauretta, così umile e ignorante, non avevo mai pensato seriamente. La mia fu la sfida di un dominatore, di chi pensa che rivolgere un'attenzione sfrontata a certe persone sia in qualche modo concedere una grazia. «Se mi dài un bacio ti aiuto a portare la gramigna» le dissi costringendola a fermarsi davanti a me. La mia espressione da bamboccio la lessi nella tenerezza del suo sguardo, nel lieve pronunciamento del sopracciglio con cui mi segnalava che la sfida era accettata. Mentre attendevo che il suo sguardo si abbassasse timidamente, mi baciò sulle labbra. Se ne andò lasciandomi sul posto con un sorriso ebete che ricordo come se mi fossi visto allo specchio. «E la gramigna?» le chiesi, e lei: «Lascia perde', che se te bagni te becchi 'na polmonite, *tu*».

Dopo quel bacio c'è stato molto altro, rapporti consumati dietro i portoni dei palazzi, sotto il banco del mercato, sulle dune di Ostia, sui prati del Gianicolo al tramonto, c'è stato anche un bel matrimonio, un viaggio intorno al mondo e quattro figli, poi otto, poi uno solo, una femminuccia con i suoi occhi. Dopo quel bacio c'è stato un gran fermento nella mia testa ma null'altro. Lauretta non era per niente una ragazza facile e persino un idiota come me se ne rese conto nel giro di poche settimane: quel bacio era tutto ciò che avrei avuto da lei per il resto della vita, a parte una sincera, meravigliosa amicizia.

Ecco perché la vecchia donnona che sto accogliendo all'uscita della banca è una splendida sedicenne che indossa un vestito a fiori umido. Solo io posso vederla così, è un superpotere che mi è stato concesso in esclusiva e che instancabilmente metto al servizio di me stesso.

6.

IO SONO SUPERMAN, ANZI SUPERMAN A ME MI FA RIDERE.

«Lo spegniamo quel televisore?» urlo.

«Non mi sembra un'uscita peggiore di tante altre...» mi dice Filippo mentre mischia le carte.

«È assurdo, il Paese è pieno di problemi e lui fa avanspettacolo!» e con una manata rovescio il tavolo di plastica.

Ho dei frequenti sbalzi d'umore, è un effetto collaterale della benzodiazepina con cui curo l'insonnia. In realtà gli sbalzi d'umore li avevo anche prima, perché non dormivo e mi bastava un nonnulla per farmi saltare i nervi. Quindi nel mio caso la cura serve più che altro a farmi dormire e a mantenermi fresco per fare delle scenate più vigorose. I miei amici hanno smesso di badarci: Filippo rimette a posto il tavolo e i bicchieri senza curarsi dei brontolii degli altri vecchi.

«Scusate!» dico alzando una mano all'indirizzo degli indefessi giocatori di tressette. «Ma non è assurdo che un uomo politico parli in questo modo?».

«Sì sì...» mi risponde uno distrattamente.

«E allora? Nessuno dice niente?».

«Ce ne occupiamo appena finita la partita...».

Non sono mai stato un trascinatore, ci resto male ogni volta ma sarà il caso che me ne faccia una ragione. Torno a sedermi, prendo le carte che Filippo mi porge e fingo di non accorgermi del sorriso benevolo che mi sta regalando. Vorrei essere alto come lui, avere i suoi capelli alla Mascagni e le sue qualità di attore, così almeno dalle donne riuscirei a farmi ascoltare. Invece sono di altezza media, o almeno lo ero prima di iniziare a ingobbirmi, senza capelli e senza il minimo talento per l'oratoria. L'ideale per passare inosservato. Filippo scarta un cinque di spade e lo appoggia sul tavolo accanto a un cinque di denari. Attendo che lo prenda, lui attende che io faccia la mia mossa. E allora scarto un fante di coppe e lo metto accanto a un fante di spade. Le nostre partite a scopa sono così: a differenza di ciò che accade agli altri tavoli, dove i giocatori si accapigliano alla prima occasione, noi siamo più felici di dare che di prendere. Il risultato della partita non m'interessa, l'importante per me è stare in compagnia e godermi un amico che ha pensieri più importanti che non arraffare un cinque di denari.

«Otto e otto...» dice indicandomi i due fanti.

Ha un sorriso indulgente e dopo questo sprazzo di lucidità torna nel suo mondo, dove un sette si lascia sul tavolo accanto a un cinque e a un due.

Un tempo eravamo comunisti, che quando sei povero e non hai nulla da perdere conviene sempre. Ma oltre alla convenienza aveva un senso. Ci riunivamo tra noi, discutevamo animatamente e ci occupavamo di tutti: dei compagni metalmeccanici, dei compagni ferrotranvieri e dei compagni minatori. Avere tanti compagni era importante, ci aiutava a vincere la solitudine. Vivevamo nella certezza della ragione, alimentata dallo scarsissimo contraddittorio che ci portava a non farci troppe domande sull'Unione Sovietica e sui lati oscuri della rivoluzione culturale cinese. Personalmente dell'Unione Sovietica e della Cina non me ne fregava un cavolo, per me erano solo uno spauracchio per dire occhio che abbiamo le spalle coperte, che se non ci date retta e per sbaglio vinciamo le elezioni poi prendiamo tutte le vostre ricchezze e le distribuiamo al popolo, cioè a noi. In realtà quelli della mia generazione sono sempre stati soprattutto antifascisti, la bandiera rossa per noi era solo un plaid per sentirci al caldo e coccolati quando capivamo di non contare un cacchio.

Con il tempo qualche vecchio comunista è diventato "di sinistra" e si è complicato la vita. Nel giro di pochi anni ha dovuto decidere di quale sinistra e poi se di sinistra sinistra o di sinistra tendente al democristiano. E l'entusiasmo è scemato parecchio. Passavamo più tempo a parlare male di noi comunisti che dei fascisti.

Per quello che mi riguarda, tanto per tornare a dare un senso alla mia presenza sul pianeta, ho ricominciato a considerarmi semplicemente un ex partigiano. Perché un partigiano è un partigiano, non ne esistono di moderati, estremisti o centristi. Esistono soltanto quelli che per restituire la dignità al Paese erano disposti a tutto, quelli che anche se gli americani erano sbarcati e avrebbero potuto aspettare che facessero da soli tutto il lavoro, hanno scelto di resistere. Volevamo chiarire al mondo intero che non tutti gli italiani erano afflitti da quel ridicolo tic al braccio destro, che i più non provavano nessun desiderio di andare a spezzare le reni a chicchessia. Eravamo persone semplici ma con il valore della libertà ben saldo e quindi non barattabile con la bonifica delle paludi pontine, con l'istituzione della refezione scolastica o con tutte le cento, fossero state anche mille, *cose buone* del fascismo. Ora invece l'ideologia politica vacilla, con i nemici di un tempo ridotti a delle macchiette da cabaret voterei per chiunque sapesse occuparsi dei miei problemi, per chiunque avesse passione e sapesse trasmetterla, per il primo sognatore disposto a rischiare la poltrona per il bene comune. Sempre meglio che continuare a premiare il partitino di turno che non si vergogna di esibire la falce e il martello.

7.

«Dài Osvaldo, con qualche euro passiamo un bel pomeriggio» dico.

«Er Bingo m'annoia...».

«Almeno facciamo una cosa nuova» insisto.

«No, davvero, e poi nun me sento troppo bene oggi».

Piegati verso la finestra del seminterrato teniamo duro ancora un po' ma si capisce subito quando non è giornata. Osvaldo socchiude appena la finestra e riduce lo spiraglio dopo ogni risposta. E così l'ultimo invito, quello di Lauretta, arriva a battenti già chiusi e non ci resta che salutarlo attraverso il vetro.

Osvaldo è molto magro, porta un paio di occhiali con le lenti spesse che non trovando un appiglio sul suo volto scavato scivolano sempre sulla punta del naso. È così leggero che dovrebbe poter correre e invece le gambe lo reggono a stento, solo con l'aiuto di un bastone.

C'è stato un periodo nel quale se la passava proprio male. Tutti noi siamo costretti a stringere la cinghia per tirare avanti, ma Osvaldo percepisce una pensione così misera che, pur privandosi di tutto, si è ridotto sul lastrico. La colpa è anche nostra che abbiamo impiegato tanto tempo ad accorgercene. «È un tirchio» dicevamo, finché un giorno l'ho visto aggirarsi tra i banchi del mercato di Testaccio. Mi pareva strano che facesse la spesa lì, abbiamo il mercato praticamente sotto casa, e ho alzato un braccio per salutarlo. Lui guardava a terra e quando ho attraversato la strada mi sono accorto che con il bastone rovistava tra le cassette cercando scarti di frutta e verdura. Sono tornato sui miei passi e mi sono nascosto dietro un angolo. Vederlo riempire la busta di verdura moscia e frutta bacata mi ha mozzato il respiro. A casa ho ripensato a tutte le battutacce fatte e nell'arco della nottata insonne mi sono spiegato la casa sempre fredda, l'assenza del televisore, la balla del cortocircuito per giustificare la presenza delle candele. Ne ho parlato con Filippo e insieme abbiamo escogitato un sistema che però non ha funzionato subito, i risultati si sono visti solo dopo che abbiamo truccato le carte da gioco. È talmente una schiappa che senza i segni non si riusciva a farlo vincere neanche con tutta la buona volontà. Con questo stratagemma ogni settimana Osvaldo si porta a casa una decina di euro. Certo, non è molto, ma l'unico modo per convincerlo a giocare con i soldi è stato con puntate da dieci centesimi alla volta. Poi a turno inventiamo scuse per invitarlo a pranzo o a cena. Da circa un anno festeggiamo anche gli onomastici. E così, in attesa di trovare una soluzione per il riscaldamento e la luce, Osvaldo ha smesso di bazzicare il mercato di Testaccio. Ma non di parlare con Dio, come testimonia la sua reclusione in casa. Le loro non sono chiacchiere qualsiasi, parlano di affari. Capisco perfettamente come questo possa accadere, quando non puoi chiedere aiuto ai figli o ai nipoti, quando l'orgoglio ti impedisce di parlare con gli amici, finisce che ti rivolgi a Lui. E siccome non sei pratico della cosa lo fai come se il divino interlocutore fosse un bottegaio, proponendo fioretti. Tra i vecchi e Dio s'instaura spesso questa strana forma di baratto, piuttosto primitiva e molto sbilanciata, tipo: tu mi salvi la vita e io vengo a messa tutte le domeniche. Ma c'è di meglio: tu mi fai vincere la lotteria da quarantacinque milioni di euro e io ti accendo una candelina da venti centesimi ogni settimana. A quanto pare Dio è misericordioso ma non scemo, infatti di malati gravi tornati in salute, in giro nel quartiere se ne contano in buon numero, ma di milionari non c'è nemmeno l'ombra. Devo dare atto a Osvaldo, comunque, che le sue trattative sono sempre molto ragionevoli, offre poco, chiede poco e soprattutto paga in anticipo.

Il Bingo per noi è una novità, Filippo ha trovato un volantino nella cassetta della posta e ci siamo detti di provare. Partiamo con l'idea di passarci il pomeriggio e Lauretta, eccitata dalla novità, non ha perso l'occasione per mettersi in ghingheri: sfoggia un vestito verde smeraldo con fantasia di fiori e coccinelle, orecchini d'argento a forma di bottone e una borsa nera piena di borchie. Qualsiasi ultrasettantenne così conciata sembrerebbe patetica, lei no.

Vista da fuori la sala Bingo non è male, anche dentro l'ambiente è molto curato, forse un po' freddo ma rispetto alla tombolata del centro anziani sembra di essere a Las Vegas. Ogni cartella costa cinquanta centesimi, non molto ci diciamo, a conti fatti con meno di dieci euro possiamo passarci tutto il pomeriggio e magari vincere anche qualcosa. Ne prendiamo tre ciascuno e ci dirigiamo al tavolo. Al centro c'è un monitor sul quale compaiono i numeri estratti, che vengono letti da una voce amplificata e riprodotti su un grande tabellone luminoso nel punto più visibile della sala. Sembra tutto studiato a puntino per evitare l'intervento del solito vecchio rompicoglioni che vuole sapere se è uscito il ventisette. Filippo è avvertito.

«Ci prendiamo qualcosa da bere?» chiedo.

«No no, aspetta, prima giochiamo un po'!» dice Filippo che non vede l'ora di iniziare.

«*Estrazione numero sedici...*» annuncia dall'altoparlante una voce poco coinvolta.

Ci sediamo in fretta, emozionati come adolescenti.

«Chi fa tombola offre da beve!» sghignazza Lauretta.

«*Sette... ventidue... settantanove, sette nove,... dieci...*» dice la voce dall'altoparlante.

«Oh, ma che hanno messo una registrazione velocizzata?» chiedo.

«A questo je so' annati a foco li calzoni...» dice Lauretta.

«*Ottantuno... trentadue... trentacinque... settantasette...*».

«Le gambe delle donne!» urla Filippo alla sala.

«Sssh!» gli risponde un coro di giocatori infastiditi.

I dieci euro a testa con i quali speravamo di regalarci un pomeriggio di divertimento ci hanno fruttato cinquanta minuti scarsi di stress. Ci avviamo all'uscita con la consapevolezza di aver fatto un errore di calcolo. Un'amarezza che diventa sempre più frequente con il passare degli anni.

«Ma è assurdo, guarda qui! Sono le tre e un quarto e abbiamo già finito!» si lamenta Filippo.

«Che modo di giocare è? Per passarci il pomeriggio ci vuole tutta la pensione...» dico.

«*C'est incroyable*... li mortacci loro!» conclude Lauretta.

Colpa nostra, avevamo pensato che le sale Bingo fossero nate per tenere compagnia agli anziani, per metterli in condizione di passare un pomeriggio spensierato e magari socializzare. Invece ci siamo ritrovati in un allevamento intensivo di giocatori compulsivi, costretti a beccare manciate di numeri senza la possibilità di scambiare una parola o di fare una battuta tra un numero e l'altro.

8.

«Eccoli i tesorini mia! Beeelli loro!».

«Guardate che c'è qui... 'a pappa! Taaanta pappa!».

Lauretta e Fernanda sono le due gattare del quartiere. Ci sono altre anziane che portano da mangiare ai randagi ma non hanno il patentino dell'ufficialità. La gattara vera è costante, precisa e irritante. E loro ogni giorno, che splenda il sole o ci sia il nubifragio, a mezzogiorno in punto iniziano i richiami: «Nildeee! Enricooo! Vladimir Il'ič!». La dotazione d'ordinanza prevede busta con scatolette e croccantini, piattini di plastica colorati, ciotola per l'acqua. La perdita momentanea della dignità è un requisito fondamentale. Non basta aprire le scatolette e fare un paio di carezze ai gatti, bisogna necessariamente stabilire un legame di parentela coatto secondo il quale i gatti grandi diventano figli e quelli piccoli nipoti. Naturalmente, trattandosi di gattare vecchio stampo, i felini sono tutti obesi e hanno l'istinto predatorio ridotto a una patetica miagolata di fronte alle buste della spesa.

«Guardate chi ce sta! Guardate chi v'è venuto a trova'!» dice Fernanda senza riuscire a trasferire entusiasmo alla cucciolata.

«*Le petit cousin!* Er cuginettooo!» strepita Lauretta.

Il soggetto in questione è Manu, che essendo nipote di Filippo lo è per acquisizione anche di Lauretta e Fernanda e, per una bizzarria genealogica, è quindi cugino dei gattini.

«Ma come siete cresciutiii!» urla Manu.

E dopo un secondo è impossibile distinguere le sue smancerie in falsetto da quelle delle gattare.

Manu è omosessuale e per noi non è stato facilissimo avere una rapporto disinvolto con lui. Siamo cresciuti fischiando dietro alle ragazze, sfidando gli amici a braccio di ferro, animando le serate con l'orgogliosa esposizione delle cicatrici di guerra, quindi tanta sensibilità sull'argomento non l'abbiamo mai sviluppata. Ci abbiamo messo un po' ad abituarci a questo nipote così effeminato, con l'esuberanza di una showgirl e lo sguardo da cerbiatta. Avevamo il mito della virilità, del figlio maschio con due palle così e della figlia femmina casta e pura. Questa via di mezzo ci ha spiazzato, almeno finché i figli e i nipoti presunti portatori di palle e di purezza non si sono dimostrati per quello che sono, un branco di smidollati senza il minimo senso di responsabilità.

I figli dei miei amici, molto diversi tra loro, sono accomunati dagli stessi problemi: troppo lavoro, troppi pochi soldi, troppi imprevisti che riducono le visite a striminzite comparsate settimanali. All'inizio li giustificavano, era importante anche per loro credere di non aver messo al mondo degli ingrati, ma alla fine hanno iniziato a sfogarsi. Anch'io ho dei nipoti, due, ma da quando è morto mio fratello li vedo un paio di volte all'anno e neanche insieme perché si dividono l'incombenza. Come molti anziani, nei momenti di solitudine ho provato la carta della disperazione: dopo ogni loro visita lasciavo una mancia camuffata da regalino, ma il massimo che potevo dargli erano una ventina di euro e l'espediente non ha funzionato un granché.

Non posso certo lamentarmi, a parte il tentativo con Ada

non ho mai avuto il serio progetto di mettere su famiglia. Trovavo squallide le persone che insistevano perché mettessi al mondo dei figli, tanti figli, perché poi da vecchio persino un plotone di discendenti mi sarebbe sembrato poco. Purtroppo le idiozie delle persone a volte hanno un senso, spietatamente pratico ma ce l'hanno.

Non so cosa abbia fatto Filippo per meritarsi l'adorazione del nipote. Pare sia stato un pessimo marito e un padre distratto, aveva la fama del donnaiolo e, anche se da che lo conosco non l'ho mai visto accettare né proporre un invito, c'è gente disposta a giurare che nell'arco dei quarantatré anni di matrimonio si possano contare almeno altrettante scappatelle. Dicono sia diventato fedele solo dopo la morte della moglie. Anche sul fatto che il figlio abbia deciso di sparire facendo il cuoco sulle navi da crociera se ne sentono tante. Però è stato lui a crescere Manu e i risultati parlano chiaro. Il nipote è il tipo di ragazzo che se dice vengo sabato a pranzo, sabato a mezzogiorno suona alla porta di casa, preciso che ci puoi regolare l'orologio, con tanto di vassoio di bignè in mano. Non solo, Manu fa anche visite a sorpresa. «Passavo di qua», «Ho le foto dell'ultimo spettacolo a teatro e te le volevo mostrare», ogni occasione è buona. Non è che non abbia nulla da fare tutto il giorno, è biologo, e nonostante la giovane età pare che nel suo campo sia molto apprezzato.

«Non è tutta la Fernanda?» ci chiede Manu prendendo una gattona sotto le zampe anteriori e sollevandola verso di noi.

«Gli occhi dici?» rispondo dubbioso.

Manu lancia un'occhiata alle donne ancora intente a riempire le scodelle e ruota per un istante la felina che, mollemente abbandonata tra le sue mani, esibisce un monumentale fondoschiena.

«Due gocce d'acqua!» gli dico.

Alla fine non è una questione di numeri, basterebbe un nipote così per sentire di avere una famiglia completa.

9.

La P2 raccoglieva gli uomini migliori del Paese.

Noi siamo quelli che in questo quartiere ci sono nati, siamo quelli che telefonano al comune per lamentarsi della sporcizia nel parco, che fanno la spesa la mattina presto per accaparrarsi i bocconi migliori e la colazione sempre nello stesso posto – perché i cappuccini sono tutti uguali, i baristi no. Siamo i padroni della panchina vista monumento ai caduti, quelli che scrivono reclami all'azienda tranviaria per i ritardi degli autobus quindi se agli altri capita di prenderli in orario è merito nostro, quelli che alla posta passano davanti perché tanto devono chiedere solo un'informazione, quelli che se qualcuno ha bisogno di un'indicazione sanno consigliare su tutto, dal ferramenta più vicino all'orario dell'ufficio parrocchiale. Siamo i vecchi del quartiere, forse non i più vecchi ma di sicuro quelli più in gamba. La nostra amicizia è una cosa recente, maturata a fine corsa. Finché ci sono stati di mezzo il lavoro e le famiglie non abbiamo mai scambiato una parola. Morti mogli e mariti, spariti i figli, è iniziato il randagismo, quelle trotterellate senza meta in giro per il quartiere che ci hanno fatto incontrare, annusare e riconoscere come affiliati di un unico branco. E gli altri, i felici possessori di una moglie o di un marito e di figli sempre presenti, non sono i benvenuti.

Giriamo spesso insieme, liberi ma non sempre contenti perché in fondo, proprio come i randagi, vorremmo una famiglia, i pasti regolari e un guinzaglio che ci obbligasse a tornare a casa a orari prestabiliti. E così, come surrogato, ogni giorno il branco si riunisce al centro anziani.

Con i centri anziani più o meno funziona così: passi tutta la vita a guardarli con tristezza, a immaginarti giornate trascorse a giocare a carte e serate a ballare il liscio, poi gli anni passano, ancora non hai trovato il tuo branco e anche se inizi a farci un pensierino ti rifiuti di metterci piede perché quel posto è pieno di vecchi, e tu non vuoi sentirti come loro. Ma dopo aver passato sei mesi chiuso in casa, sperando che il telefono squilli o che qualcuno venga a trovarti, cominci con le tattiche di approccio. Prima ci passeggi davanti, a distanza, tanto per vedere che posto è. Poi entri nel parco e passi qualche ora sulle panchine, solo per capire come trascorrono il tempo quei vecchi decrepiti. Poi entri a prendere una cosa al bar e scappi subito per chiarire che sei lì di passaggio. Poi accetti l'invito a una partita a carte. Ed è fatta. Sei ufficialmente vecchio decrepito.

L'iniziazione la devo a Ettore. Ero nel parco di passaggio, come tutti i giorni da una settimana circa, e lui mi chiese se avevo tempo per una partita a scopa. Io odio giocare a carte da quando avevo dodici anni, da quando cioè è morta una mia zia che mi aveva insegnato a giocare a canasta. Lo adoravo quel gioco, adoravo lei e il fatto che non le fosse mai passata per la testa l'idea di farmi vincere, neanche come incoraggiamento. Qualche volta l'avevo pure battuta e mi ero ripromesso di riuscirci quanto prima senza barare. Però lei se ne andò prima che diventassi abbastanza bravo e, per quello che mi riguarda, si portò via tutti i mazzi. Accettai comunque l'invito di Ettore solo per il gusto di passare un po' di tempo intorno al tavolo, così, senza impegno. I miei compagni di partita invece l'impegno ce lo mettevano eccome, anche per me. «Non vorrai scartare un altro sei?», «Ci vorrebbe una carta di denari…», «Invece di parlare conta le carte…». Giocai teleguidato per un pomeriggio intero, collezionando comunque delle perle tipo farmi fregare il settebello con una scopa all'ultima mano. Quando fu ora di tornare a casa mi dissi: addio partite a carte, questi non mi inviteranno più. Non che avessero detto niente, anzi, grandi sorrisi e tanti ringraziamenti mentre uscivamo dal centro, però era chiaro che loro la cosa la prendevano seriamente e che di un giocatore scarso come me non sapevano che farsene. Sulla strada verso casa pensai che per la mia superficialità mi ero appena condannato alla solitudine, che anche se quelli non aprivano bocca mentre giocavano, una partita al giorno mi avrebbe aiutato a passare il tempo. A casa presi un vecchio mazzo di carte ancora sigillato e iniziai una partita con tre giocatori immaginari, a carte scoperte, con l'intento di memorizzare diligentemente tutti gli scarti e giocare un'ultima mano vincente. Anche così quel bastardo del giocatore immaginario alla mia sinistra mi fece scopa due volte. Che schiappa! Con uno scatto isterico rovesciai il tavolo e lanciai una sedia contro il muro. Poi, rannicchiato sul letto, iniziai a piangere.

Il giorno dopo, con la compostezza forzata degli esauriti sotto trattamento farmacologico, tornai con il preciso intento di vedermi evitato dagli unici amici che avevo iniziato a farmi e chiudere la questione centro anziani una volta per tutte. «Signor Angelo, una partitina?» mi disse uno dei giocatori già seduto al tavolo. A causa dello stress accumulato per poco non svenni dalla felicità. «Ma che sei matto? A carte con lui! Facciamoci due chiacchiere che è meglio...» disse Ettore dal bancone del bar. Passammo la giornata a parlare, e tra i ricordi della guerra e quelli del dopoguerra saremmo potuti andare avanti per un bel pezzo. E infatti ancora continuiamo.

Da allora, per riconoscenza, faccio il tiradentro. Li riconosco subito i tipi come me, quelli che fanno i vaghi seduti sulle panchine, e li convinco a entrare con le scuse più disparate. Con Filippo è bastata una battuta sul calcio e due minuti dopo eravamo al tavolo a discutere della campagna acquisti della Roma come se i soldi fossero i nostri; con Osvaldo è stato sufficiente stappare una bottiglia di vino.

Quel tizio che passeggia sul prato fingendosi interessato alla ricrescita dell'erba viene qui da tre giorni, e immaginarlo sul letto con le lacrime agli occhi mi fa stare male.

«Lì non cresce bene, darei un braccio per sapere perché...» gli urlo.

Si volta e ci mette qualche secondo per convincersi che sto dicendo proprio a lui. Mi godo questo istante nel quale un sorriso s'impadronisce di tutte le rughe del volto e lo ringiovanisce di dieci anni.

«È l'erba sbagliata, ci vorrebbe la dicondra, quella cresce pure all'ombra» mi risponde.

«Lo sapevo io, la dicondra!» dico a Filippo.

«Forse non sapete che il giardinaggio è una mia vecchia passione» continua il tizio avvicinandosi.

«E no eh? Stavolta te lo sciroppi tu, questo!» dice Filippo dandosi alla fuga.

10.

I mazzi di fiori li fanno sempre più piccoli, per la miseria. Certo, basta il pensiero, però appena comprato sembrava più grosso, mentre ora a vederlo lì sulla panchina mi pare un po' misero. Basta paranoie, è un bel pensiero ed è questo che conta. Lauretta arriverà, li troverà sulla sua panchina preferita e ne sarà contenta perché nessuno si ricorda degli onomastici. Magari do un'ultima sistemata, subito, finché c'è poca gente in giro. Ecco, in piedi appoggiati alla spalliera stanno meglio, coricati sulla seduta sembravano dimenticati lì per caso. Sì, molto meglio. Ora non mi resta che aspettare. Però forse non qui, proprio sulla panchina di fronte è un po' smaccato. Mi alzo e vado a sedermi qualche metro più avanti, vicino all'entrata del centro. Così è perfetto. Ora che faccio? Ci voleva un giornale. Non sono il tipo che sa fingere bene, se resto seduto così senza fare niente inizio a smaniare, a sistemarmi il colletto della giacca e torturarmi le unghie. Ecco, mi metto d'impegno a regolare l'orologio.

Lauretta arriva col suo passo da bersagliere, le cuffiette del registratore alle orecchie e le immancabili buste in mano. Il cuore mi salta in gola. Con la coda dell'occhio seguo i suoi movimenti. Ecco, è entrata. Ecco, mi ha visto. Ecco, sono in apnea e sto diventando paonazzo.

«*Bonjour!*» mi fa appena varca il cancello.

Per risponderle devo prima riprendere fiato.

«Lauretta carissima!» le dice Ruggero intercettandola prima che io riesca ad aprire bocca.

«*Bonjour* Ruggero. E questo?» dice Lauretta indicando un pacchettino che il vecchio le porge.

«Buon onomastico!».

«Oddio, ma come ha fatto a ricordasse!».

Sì, maledetto, come ha fatto! Lo so io come! Deve aver sentito che ne parlavo con Filippo ed eccolo qui, in piedi di prima mattina per rovinarmi la sorpresa.

I due camminano verso di me, Lauretta scarta il suo regalo con la foga di una bambina.

«Orecchini!».

Li prende dalla scatoletta e li solleva in bella vista.

«Oro e corallo. Oro vero eh, mica...» precisa Ruggero.

«Ma nun se doveva incomoda'...».

No, infatti, anche perché non è il genere di Lauretta. È roba da vecchie quella, lei preferisce accessori spiritosi, come gli orecchini con i temperamatite. Lauretta punta dritta verso la panchina con il mio mazzo di fiori, appoggia la borsa senza distogliere lo sguardo dal regalo e si siede.

«Vedemo un po' si me donano» dice.

Vorrei dirglielo a quel guastafeste che lei lo sta facendo solo per carineria, che è ovvio che quegli orecchini le fanno schifo. Non capisco perché Lauretta esageri in questo modo, avrebbe potuto ringraziarlo e basta, tutta questa frenesia nel volerli indossare mi pare eccessiva. E infatti, eccolo lì, il bovino si è sentito autorizzato a sedersi accanto a lei, proprio davanti ai miei fiori.

«Come me stanno?» chiede Lauretta.

«Un amore. Le rendono giustizia» dice Ruggero.

«Come me stanno, Angelo?».

Ti stanno uno schifo Lauretta, sono stati regalati senza amore, e soprattutto non ti sono stati regalati da me. La guardo negli occhi senza riuscire a rispondere perché sento il cuore in frantumi e cerco di capire se a ridurlo così è stata lei con la sua mancanza di tatto o se si è rotto da solo, per un eccesso di fragilità.

«Senza parole, eh?» mi dice Ruggero gongolante.

Annuisco con riluttanza, sperando che Lauretta colga telepaticamente il mio stato d'animo. E adesso lo giuro solennemente, se non noterà i fiori entro dieci secondi la cancellerò dalla mia vita. "Uno... due...", Lauretta sistema anche il secondo orecchino, "tre... quattro... cinque...", Lauretta si alza di scatto, "sei... sette...", Ruggero prova a fare altrettanto ma la cervicale lo blocca e deve aiutarsi spingendosi con una mano puntellata sullo schienale della panchina.

«Devo farli vede' a Fernanda, so' così eleganti!» dice Lauretta.

«Eh, so' oro e corallo mica...» ribadisce Ruggero.

"Otto... nove... eee... dieci".

Lauretta arriva al bar e gira il viso a destra e a sinistra per mostrare gli orecchini a Fernanda. Il mazzo di fiori sulla panchina è diventato minuscolo, le margherite che avevo scelto con tanta cura ora mi sembrano brutte, l'incarto misero. Mentre esco dal parco valuto la possibilità che Lauretta l'abbia visto ma che non abbia capito che era lì per lei. Non lo so, mi sembra assurdo, nel mio cuore era tutto così chiaro.

11.

ARRIVERÒ A CENTOVENTI ANNI.

«Buongiorno, sono Serena, in cosa posso aiutarla?» squittisce la centralinista.

«Mi potrebbe aiutare moltissimo spiegandomi come si fa ad accettare una lista d'attesa di quattro mesi per una colonscopia!» urlo aggrappato al telefono.

«Prego?» mi chiede senza squittire.

«Colonscopia! Mi dica, è assurdo o no?».

«Ma io...».

«Senta, signorina Serena!... Signora o signorina?».

«Signorina».

«Senta, signorina Serena, lo so che lei non c'entra e che non è lei che decide, ma si rende conto della gravità? Non mi faccia essere volgare, ma capirà anche lei che uno non prenota una colonscopia per diletto personale!».

«Immagino di no».

«Brava! Infatti il mio carissimo amico Filippo l'ha prenotata perché aveva dei sanguinamenti, non mi faccia dire dove, e ha dovuto attendere quattro mesi! E adesso si ritrova operato d'urgenza all'ospedale!».

«Oddio... come mia madre...».

Rimango al telefono con la signorina Serena per mezz'ora, quindici minuti per sfogarmi e altrettanti per consolarla della disavventura della madre e farle tornare il sorriso. Sono stato brusco ma la ragazza ha capito che in queste situazioni un cittadino non sa a chi rivolgersi, non sa con chi prendersela, non sa a chi urlare che una lista d'attesa di quattro mesi non è assistenza sanitaria, è omicidio colposo. Possibile che nessuno si occupi di noi? Che nessuno consideri che non possiamo più aspettare? Non possiamo aspettare quattro mesi per delle analisi, una settimana per un certificato o un'ora per prendere l'autobus. Quando è stato il Paese ad avere bisogno di me mica gli ho risposto di mettersi in lista e attendere il suo turno!

La signorina Serena ha riso tanto, è una ragazza in gamba ed è davvero sprecata come centralinista della Telecom. Devo ricordarmi di scrivere alla direzione dell'azienda per segnalare la sua alta professionalità.

Ci diamo i turni per non lasciare mai Filippo da solo e i primi a presentarci in ospedale siamo io e la donna che avrei dovuto cancellare dalla mia vita. Avevo sempre sperato di uscire da solo con lei ma nelle centinaia di ore che ho dedicato a questo pensiero avevo preso in considerazione di tutto, dal parco al cinema, dalla Festa dell'Unità alla processione della Madonna, tranne l'ospedale.

Davanti alla porta del reparto troviamo Manu che passeggia su e giù. Ci dice che l'operazione è stata breve e i medici sono molto ottimisti. Purtroppo siamo arrivati proprio durante il turno di visita dei dottori e ci tocca scalpitare nella sala d'attesa. Non c'è neanche una sedia e dopo il viaggio in autobus ho le gambe a pezzi.

«Io vado» dico.

«È inutile che ci provi, ti cacciano subito» mi dice Manu.

«A me no, vedrai…».

Apro la porta e parto a passo spedito e testa bassa lungo il corridoio.

«Guardi che ora non si può!» ringhia un'infermiera.

«C'è la mia mamma qui… mi aspetta…» dico con lo sguardo perso.

«Aaah, vada allora…» mi dice, poi sussurra: «Annamo bene…».

Alle mie spalle sento sghignazzare Lauretta, o forse è Manu, non saprei. Quello che so è che non mi piace fare certe sceneggiate, ho una dignità io, ma questi se ne fregano. Sarei potuto entrare con tutte le ragioni dicendo: "Sono vecchio e non ci sono sedie in sala d'attesa!" però siamo in Italia ed è difficile far ragionare le persone in divisa. Dal bidello al ministro passando per il portiere, tutti quelli che hanno un briciolo di potere lo usano male.

Guardo negli stanzoni e nel secondo, quello riservato agli uomini, individuo subito il mio amico. Un vecchio che dorme sembra sempre morto, e mi piglia un colpo.

«Filippo!».

Lui apre subito gli occhi, grazie a dio, mi guarda e anche se ci mette un po' a vedermi davvero mi saluta alzando appena la mano.

«Guarda che faccia! Non si direbbe che t'hanno appena operato!» gli dico.

Accenna un sorriso.

«Be'? Non parli?».

«Mi sento intontito... poi dico fesserie e tu mi prendi in giro...» mi risponde con un filo di voce.

Mi siedo sul letto e gli stringo la mano. Dopo poco entrano anche Lauretta e Manu, i vecchi degli altri letti li guardano speranzosi, ma appena capiscono che non sono lì per loro richiudono gli occhi.

«Filippo, ti ho portato le lasagne, le ho fatte proprio stamattina, *légères légères...*» dice Lauretta. «Ora chiedo all'infermiera si te le poi magna' al posto de quella robaccia che te danno».

Le lasagne leggere di Lauretta galleggiano come una zattera su un delizioso laghetto di sugo e olio. Il profumo è magnifico e in un istante riesce a neutralizzare l'odore di disinfettante della stanza.

«Nonno, come stai? Ti senti di mangiare? Dimmi quello che vuoi e te lo vado a prendere. Lo vuoi un pollo? Con due patate come piacciono a te, con la crosticina croccante?» chiede Manu.

«Oh! E che ce volete fa' mori'?» brontola un malato in fondo alla stanza.

«Eh!» punteggiano gli altri in coro.

Testamento II

Roma, 25 luglio 2009.

Io, Angelo Di Ventura, nel pieno possesso delle mie facoltà fisiche e mentali, con la presente scrittura dispongo che la proprietà di tutte le mie sostanze venga suddivisa come segue: il quaranta percento in parti uguali ai miei due nipoti, il sessanta percento ai miei amici Filippo Baldi, Laura De Bernardinis, Ettore Pacini e Osvaldo Antonelli perché possano usufruire in qualsiasi momento di cure mediche appropriate.

Nomino mio esecutore testamentario il signor Filippo Baldi.

12.

Applicando l'insegnamento della mia zia Marina le dico di essere di gran lunga il miglior presidente del Consiglio che l'Italia abbia potuto avere nei suoi centocinquant'anni di storia.

«Non è possibile! Ma l'ha detto sul serio?» urlo.

«Eh, pare proprio di sì...» risponde Filippo mentre appoggia i gomiti sul tavolo per impedirmi di rovesciarlo.

«Assurdo! Se lo dice da solo come un qualsiasi sbruffone da bar!» e con una manata faccio volare giù bicchieri e bottiglia.

«È pazzo, Maria Vergine!» si dispera Osvaldo.

«Già!» commento soddisfatto, anche se Osvaldo si riferiva a me e al vino rovesciato.

«Non gli abbiamo insegnato niente a questi... guarda che tocca sentire» interviene Ettore.

Con la fatica che stiamo facendo per accudire Filippo e rimetterlo in sesto siamo tutti stanchi e nervosi. Per una volta non sono l'unico a far caso alle frescacce del premier e colgo la palla al balzo.

«A noi ha dato dei coglioni, di se stesso dice che è il miglior presidente del Consiglio, e voi non dite niente?» urlo agli altri tavoli.

«Ferna', che c'hai mezzo Tavor per Angelo?» chiede a gran voce un giocatore stizzito.

«Noi sì che si sapeva come fare. Mica come oggi, che nessuno muove mai un dito!» sbotto.

«Essù Angelo, perché te la prendi tanto... mica governerà in eterno! Prima o poi qualche alleato si stancherà...» dice Filippo.

«Io non voglio aspettare che qualcuno lo faccia al posto mio. Ma insomma, vuoi mettere la soddisfazione di dargliela noi una bella lezione? O vogliamo aspettare che il Paese vada in rovina per liberarci di lui?» concludo attirando gli sguardi di tutti.

Sono in piedi e sto gridando a un gruppo di vecchi che vorrebbe soltanto passare la giornata in pace. Me ne rendo conto, mi ricompongo, chiedo scusa e taglio in due il mazzo che Filippo mi ha messo davanti.

Combattevo un esercito e sapevo cosa fare. Adesso è diverso, il nemico è subdolo, si presenta in giacca e cravatta e parla forbito. Come si combattono questi? Come si reagisce quando uno t'insulta nascosto dentro un televisore privandoti codardamente del tuo diritto di rispondergli? Siamo vecchi ma non così rimbambiti da ascoltare in silenzio certe assurdità. Secondo me la loro è mancanza di ossigeno al cervello. Vivono chiusi nelle loro regge, escono e s'infilano subito dentro un'auto blu, poi dentro Montecitorio, poi di nuovo nell'auto per finire dentro uno studio televisivo ed ecco lì che un uomo che dovrebbe rappresentare la nazione intera trova perfettamente sensato dare del coglione a metà dei suoi abitanti o autoproclamarsi statista del secolo. Filippo adesso è stanco, sta lentamente riprendendosi dai postumi dell'operazione ma la sua reazione quando quell'uomo ha detto che Mussolini non ha mai ucciso nessuno e gli oppositori li mandava in vacanza al confino ancora me la ricordo, tutto il centro se la ricorda. Osvaldo, che cammina a piccoli passi aiutandosi con il bastone, l'ho visto correre solo in tre occasioni e ogni volta era per avventarsi sul televisore e troncare una barzelletta del premier. Ettore forse è l'unico che dovrebbe essergli riconoscente, tra ferite di guerra e infortuni vari sarebbe morto da un pezzo se a tenerlo in piedi non ci fosse l'incazzatura. Per quello che mi riguarda, oggi è il dieci settembre duemilanove, sessantaseiesimo anniversario dei caduti della Montagnola, e dico basta!

La discussione l'abbiamo ripresa la sera stessa. Eravamo tutti belli carichi, non posso giurarci ma certo una scommessa su come è trascorso il nostro pomeriggio la farei. Mi gioco metà della pensione che l'abbiamo passato a fare su e giù per casa, a rispondere a domande immaginarie, a insultare interlocutori inesistenti e a far ragionare sul caso il gatto o il santino di Padre Pio.

«Niente di violento. Si prende, si spaventa a dovere e gli si fa confessare tutto davanti a una telecamera» propongo.

«E come pensi di fare? Credi che quello si metta paura di quattro vecchi e vuoti il sacco solo perché glielo chiedi per favore?» fa Ettore.

«Penseremo a qualche tortura psicologica! Qualcosa che possa terrorizzarlo a morte... che ne so... potremmo farlo baciare da una sua coetanea» dico per spezzare la tensione.

«Così lo ammazzi...» ridacchia Filippo.

Decidiamo di fare le cose per bene e stiliamo l'elenco di tutto quello di cui vogliamo chiedergli conto. Andiamo a memoria e in quarantacinque minuti riempiamo un foglio con l'elenco dei reati passati ingiudicati per decorrenza dei termini, di quelli prescritti, di quelli aboliti con leggi ad personam e di quelli più recenti ancora in fase di procedimento. Quindi passiamo all'analisi punto per punto e in breve ci rendiamo conto che dei processi All Iberian, Sme e Lodo Mondadori, per esempio, non ne sappiamo assolutamente nulla. Gli atti processuali sono così complicati che persino sul caso Lentini stentiamo a formulare una sola domanda che possa realmente mettere in difficoltà il premier. Senza ammettere la nostra ignoranza in materia decidiamo di aprire un nuovo capitolo dedicato agli insulti, alle guasconate, come le chiama lui, e alle barzellette.

La stesura di questo documento non è utile solo per farci salire il sangue agli occhi, lentamente ci chiariamo le idee su un nodo fondamentale: cosa pretendiamo da lui. E anche se la risposta è così semplice e apparentemente effimera, quando arriviamo al punto ci sentiamo illuminati. Noi non vogliamo nessuna confessione. Vogliamo qualcosa di più e di meglio.

«Dài, ti concedo che sarebbe una buona idea. Ma il punto è sempre lo stesso, come pensi di convincerlo?» mi chiede Ettore.

«Prima di tutto bisogna rapirlo, ovvio!».

«Hai visto con che scorta gira?».

«Noi si sapeva come fare...».

«Noi si sapeva piazzare bombe e sparare all'impazzata... servirebbe un lavoretto pulito».

È vero, noi non ci fermavamo davanti a niente ma certo i lavoretti puliti non erano il nostro forte. Quando non hai motivi per vivere, la morte inizi a considerarla in maniera diversa. Tra i partigiani uno che aveva perso la moglie o il fratello lo riconoscevi subito, era quello che diceva: «Si può fare» anche davanti al piano più strampalato, era quello che non sparava un colpo ogni tanto appostato dietro un albero ma si piazzava in mezzo alla strada, dritto in piedi, urlando come un pazzo. Io ci sono stato in piedi in mezzo alla strada, lo so cosa significa. Ho visto il terrore negli occhi di un veterano tedesco, uno che ne aveva viste e passate molte più di me, tranne la morte di Luigi. La mina piazzata sulla strada aveva distrutto il suo camion e nel tempo che lui ha impiegato per uscire dall'abitacolo, ancora sotto shock ma con il mitra in mano, ho ricaricato il mio fucile a colpo singolo e gli ho sparato. Adesso mi fa compagnia quasi tutte le sere, insieme a Luigi. Per i primi anni l'ho rivisto sempre con l'espressione terrorizzata, poi finalmente ha iniziato a sorridermi. Credo per riconoscenza, perché neanche i suoi parenti lo hanno ricordato con tanto dolore e tanta costanza.

TESTAMENTO III

Roma, 10 settembre 2009.

Io, Angelo Di Ventura, nel pieno possesso delle mie facoltà fisiche e mentali, con la presente scrittura dispongo che la proprietà di tutte le mie sostanze venga suddivisa come segue: il trenta percento in parti uguali ai miei due nipoti, il cinquanta percento ai miei amici Filippo Baldi, Laura De Bernardinis, Ettore Pacini e Osvaldo Antonelli, il venti percento all'associazione dei veterani tedeschi della Seconda guerra mondiale.

Nomino mio esecutore testamentario il signor Filippo Baldi.

13.

Mi sono fatto convincere di nuovo. *Gita ad Assisi con colazione all'Autogrill, visita al santuario, pranzo (bevande escluse) e presentazione di pentole,* A SOLI VENTI EURO. C'ero già cascato una volta nel tranello di queste gite, ma erano altri tempi, ero appena andato in pensione e dai programmi di culinaria del mattino alla gita con presentazione di pentole il passo è breve.

Il primo volantino che ho trovato nella buca delle lettere neanche l'ho letto. Il secondo l'ho letto e buttato con un sorriso di superiorità. Il terzo l'ho letto, buttato e recuperato dalla spazzatura il giorno seguente. Non dovrebbero chiamarle gite, ma sequestro di persona con presentazione di pentole. Funzionano così: alle otto ci si raccoglie in punti convenuti e si aspetta l'arrivo del pullman Gran Tour, il pullman arriva puntuale e anche se non ha nulla di "Gran" non ci fai molto caso perché in vita tua hai speso tutto per pagare il mutuo della casa, di gite non ne hai mai fatte e quindi non hai esperienza di pullman. Entri sperando che non sia pieno di salme e resti piuttosto soddisfatto. Un cinquanta percento di vecchi attivi che non vogliono stare davanti alla tv e un cinquanta percento di seminfermi che di fronte alla tv ci starebbero tanto volentieri ma sono stati caricati a forza dai parenti. Gli organizzatori, quasi sempre due, piuttosto giovani, sono molto gentili, fanno battute, si preoccupano che tu stia comodo, corrono a regolare le bocchette dell'aria o le tendine dei finestrini. Pensi si tratti di un sorriso disinteressato, invece è gentilezza calcolata, con la quale oliano i cardini delle borsette. Quasi subito inizia la presentazione delle pentole e tu, uomo, ti rilassi pensando che sia un affare tra loro e le signore. Col cavolo, siamo tutti coinvolti, perché in casa abbiamo le pentole in teflon e il teflon è cancerogeno, vogliamo morire? Vogliamo ammazzare i nostri nipoti? Pentole in ceramica ci vogliono, una spesa piccola per la serenità più grande, quella di vivere in salute. Non c'è che dire, sanno fare bene il proprio lavoro, ma quelli che abboccano subito sono in pochi. Per gli altri c'è il ricatto, neanche troppo velato. Un tot di pentole vanno acquistate e, fermi davanti al santuario, sotto il sole, ti fanno capire che la visita non inizierà finché non sarà stata raggiunta la quota prevista.

Questa volta mi sono lasciato convincere per via di Filippo. In ospedale cercavo di tirargli su il morale riprendendo qualcuno dei nostri vecchi progetti. Faremo un bel viaggio appena ti sarai ripreso, Capo Finisterre o Capo Nord, gli dicevo. Ma Assisi è il massimo che possiamo permetterci. A dire la verità, buona parte del merito della decisione ce l'ha Lauretta, sarebbe dovuta venire anche lei e così ho iniziato a fantasticare su questo viaggio insieme, seduti vicino, mano nella mano. Poi all'ultimo lei non ha potuto e io non me la sono sentita di deludere i ragazzi, soprattutto dopo la fatica che abbiamo fatto per convincere Osvaldo.

Partiamo in quattro, tutti fermamente motivati: non ci faremo fregare da quei ragazzetti. Per l'occasione abbiamo anche elaborato un piano, non perché ce ne fosse un reale bisogno, ma perché ci piace riunirci intorno al tavolo con l'idea che ci sia qualcosa da organizzare.

Arriva il pullman. È dello stesso tipo di dieci anni fa e lo riconosco per quello che è, un catorcio. Salutiamo affettuosamente i due organizzatori, un uomo sui quaranta e una ragazza poco più che ventenne, rispondiamo cortesemente alle domande, ci fingiamo colpiti dalle loro attenzioni. Come un gruppo di ripetenti in gita scolastica, prendiamo posto in fondo e affrontiamo il viaggio con la faccia di chi la sa lunga, di chi conosce l'ambiente ed è a suo agio perché tanto ha già belle e pronte tutte le contromosse. Inizia la presentazione ed Ettore, che prova a trattenere un attacco di ridarella, mette sotto sforzo l'enfisema e comincia a fischiare come una pentola a pressione. Il fatto è che abbiamo provato la scena una decina di volte e io, nella parte della presentatrice, ho esordito ogni volta con: «Ed ecco il momento che tutti aspettavate!». Possibile che inizino sempre così? A quanto pare sì, ed Ettore si sganascia. La ragazza abbozza un sorriso e sdrammatizza con una battuta, il suo collega ci lancia uno sguardo di sfida. Li conosco i tipi come voi, fate i duri ma dopo mezz'ora sotto il sole nel parcheggio del santuario voglio vedere se ridete ancora, vi tolgo pure l'aria condizionata! Tutto in uno sguardo.

Teniamo botta per l'intero tragitto, resistiamo alle offerte cortesi, a quelle che lo sono meno e anche alle quasi minacce. Naturalmente arriviamo nel piazzale senza aver raggiunto la quota di vendite prefissata e con il bocconcino – il santuario –

lì a due passi anche le vecchiette più coriacee iniziano a comprare. L'obiettivo si avvicina, però noi abbiamo una gran voglia di far scattare il piano preparato. Ci basta un'occhiata e Filippo si esibisce in uno svenimento da Coppa Volpi.

«Filippo, Filippo!» dico.

«Oddio, cos'ha?» urla una signora.

«Ha bisogno di aria, portiamolo fuori!».

Lo solleviamo a braccia e iniziamo a guadagnare l'uscita. L'organizzatore è un osso duro e tiene ferme le vecchie che tentano di svignarsela dalla porta aperta.

«Signore per favore, non intralciate il passaggio!» dice.

Quando passiamo davanti a lui Ettore proprio non ce la fa a non fargli capire che lo stiamo fregando. Deve lanciargli un sorrisetto ironico, il deficiente. Puntiamo verso una panchina mentre la porta del pullman si richiude alle nostre spalle intrappolando di nuovo le vecchiette.

Ci rifacciamo vivi solo quando inizia il rilascio degli ostaggi, ci lasciamo guidare su e giù per il santuario e appena tutti si incolonnano per raggiungere il ristorante ce la svigniamo di nuovo.

«Ragazzi, conosco una trattoria che è la fine del mondo» dice Ettore.

«Ma 'r pranzo è compreso» obietta Osvaldo.

«Bevande escluse… capace che spendi dieci euro per un quartino di vino».

Prendiamo un viottolo e dopo un paio di giri a vuoto Ettore, palesemente spaesato, finge di riconoscere il posto. I prezzi sono alti, possiamo permetterci solo un primo. Ma è impossibile resistere, sei fuori città dopo tanto tempo, tra amici, felice come un adolescente e così ti dimentichi dei problemi, dell'età e anche dei prezzi sul menu. Ordini un antipasto, al cameriere dici "antipastino" sperando che così il prezzo cali, poi ordini un piatto di pasta e il vino della casa. Mentre mangi l'antipasto il primo litro è bello e andato e via con il secondo. Si ride, si scherza, si dice che la pasta era buonissima e si ordina il caffè. Poi il cameriere chiede: «Amaro, grappa, limoncello?», ci si guarda sperando che nessuno abbia qualcosa da obiettare e un attimo dopo si brinda coi bicchierini.

Torniamo sul piazzale imprecando contro quei ladri che fanno pagare venticinque euro a persona uno schifo di primo e con Osvaldo ubriaco che intona un medley di inni sacri. Giriamo a vuoto nel parcheggio in cerca dell'autobus. Ci sembra assurdo che siano ripartiti senza di noi e Filippo, che è l'unico a saper usare il cellulare anche per le chiamate, compone il numero dell'organizzatore. Lo insultiamo a turno strappandoci di mano il telefono ma non c'è nulla da fare, abbiamo firmato il regolamento della gita che al punto sette parla chiaro: il pullman riparte a orari prestabiliti e l'organizzazione non si assume la responsabilità di chi non è presente al punto di raccolta.

Torniamo a casa poco prima di mezzanotte dopo aver chiesto un passaggio in macchina a due gentilissimi turisti tedeschi che Osvaldo ha ringraziato cantando *Stille Nacht* per tutto il tragitto, dopo aver preso una corriera che in due ore e mezza ci ha portati alla stazione Termini e dopo aver aspettato per tre quarti d'ora l'autobus notturno. Filippo ha accusato il colpo, ha perso il colorito e si sente così stanco che decide di dormire da me. Il suo portone è a venti metri dal mio ma davvero non ce la fa più. Tanto meglio, tornare a casa sconfitti e soli sarebbe troppo deprimente. Si butta sul mio letto, sul lato che era di Ada, e si addormenta di colpo. Mi siedo dalla mia parte, tolgo le scarpe scalciandole via e mi chiedo, come sempre, quando è stata l'ultima volta che sono riuscito a sfilarmele come ho fatto per una vita, con le mani. Filippo ridacchia, penso di averlo svegliato invece ridacchia nel sonno, mastica parole incomprensibili, sorride. Sdraiato vicino a lui non mi sento perfettamente a mio agio, perché per anni ho sognato qualcuno accanto a me nel letto e l'immagine del mio amico stride con tutti i miei sogni. Lentamente striscio verso il bordo del materasso. Sono stanco morto eppure non credo che dormirò, il pallore di Filippo mi angoscia, preferisco vegliarlo ed essere sicuro che domani mattina sia ancora qui.

14.

VUOLE SENTIRE? SENTA, SENTA...
SENTA COL NASO...
È ODORE DI SANTITÀ.

«Che si fa?».

Questa è la domanda di apertura di ogni incontro. Se nell'arco della giornata c'incontriamo tre volte, per tre volte ci chiediamo: "Che si fa?" con la speranza che qualcuno abbia un'idea. Ma quando mai.

«Niente che ci sia da spendere, che non ho un euro» dico a Filippo.

«E allora stiamo qui. Magari si guarda la tv...».

I vecchi stanno seguendo una fiction. È inutile chiedersi come riescano ad appassionarsi a finte storie di liti familiari quando potrebbero ricavarsene di vere semplicemente dicendo al genero che la figlia meritava di meglio. Un tempo, a quest'ora davanti al televisore c'erano sedute solo le donne; oggi, con la diffusione del viagra, la platea è mista. Tutti negano, ma quella mezza dozzina di ottantenni ringalluzziti che non mollano le signore neanche davanti a *Beautiful* parla chiaro.

«Che ne dite di una recita?» propone Filippo.

«Eh, mica male. Ma non è che rischiamo di fare un viaggio a vuoto?» chiedo.

«Certo il rischio c'è, però...».

«Io passo, ragazzi. Oggi le gambe non mi reggono proprio...» dice Ettore.

«Anche pe' me oggi nun è giornata, me sa che sta pe' cambia' er tempo» dice Osvaldo.

Oggi non mi sento, oggi non è giornata. *Oggi* è una parola fondamentale per noi anziani, serve a convincerci che la vecchiaia sia un disagio temporaneo. Oggi no che sono vecchio, ma domani vengo. Filippo non vuole darlo a vedere, però ci è rimasto male, lo capisco da come si adagia sulla spalliera della sedia, da come si guarda intorno, da come si gratta la nuca. Passiamo troppo tempo insieme senza parlare, ovvio che sappia interpretare perfettamente ogni minimo gesto.

«Dài Filippo, si va in scena!» dico.

Otto fermate d'autobus per raggiungere l'ospedale. Quanto basta per prepararci la parte. Io interpreterò il signor Giacometti, Filippo sarà il dottor Blasi. Il canovaccio prevede un incontro fortuito tra vecchi amici e l'idea estemporanea di andare a trovare Emilio, il caro compagno delle elementari ricoverato in ospedale. Arriviamo giusto in tempo per l'orario di visita e affrontiamo il corridoio con un certo timore. Mi affaccio nel reparto geriatrico ed esploro i letti.

«Okay, è ancora vivo» bisbiglio a Filippo.

«Per fortuna, va'...».

Entro a passo deciso e punto spedito verso il letto del signor Emilio.

«Carissimo! Finalmente ti vedo bene!».

Il vecchio mi guarda stranito ma abbozza subito un sorriso. In realtà non lo vedo bene per niente, è dimagrito e cianotico.

«Emilio, non devi toglierti l'ossigeno solo perché veniamo noi!».

Gli rimetto le cannule al naso e controllo il flacone del gorgogliatore, che come al solito è vuoto.

«Ti ricordi del dottor Blasi, sì?» chiedo introducendo Filippo.

Lascio il mio amico alla sua recita e vado a cercare un'infermiera perché riempia il gorgogliatore. Grazie al cavolo che si toglie l'ossigeno, senza il liquido che lo umidifica gli si sarà seccato il naso! Faccio due volte su e giù per il corridoio finché non vedo il carrello dei medicinali. Arraffo un flacone di acqua distillata e torno nella stanza.

«Giacometti!» mi dice Emilio.

E lo spettacolo entra finalmente nel vivo. Il signor Emilio è un ultraottantenne che abbiamo conosciuto quando Filippo era ricoverato. Un giorno sono arrivato insieme a Ettore e nello stanzone abbiamo trovato Manu che stava imboccando questo vecchio ammalato, immobile nel suo letto. Lo salutiamo e il vecchio ci fa: «Conoscete mia nipote?», Manu ci strizza l'occhio e con un imbarazzo non percepibile da un vecchio debilitato ci presentiamo. «Angelo Di Ventura» dico mentre gli stringo la mano e dopo neanche un minuto, come se nulla fosse, il signor Emilio torna a guardarmi e: «Giacometti!» urla contento. Solo più tardi siamo riusciti a capire che questo Giacometti era un suo compagno di classe delle elementari, niente di meno. Manu era perfettamente a suo agio nella parte della nipote e io, per non sfigurare, mi sono dato da fare calandomi nel surreale ruolo del compagnuccio di classe ottantenne. In breve mi sono trovato coinvolto in una discussione assurda tra vegliardi preoccupati per i compiti di matematica e per i bombardamenti degli Alleati. Ettore e Filippo, che all'inizio facevano i vaghi, quando hanno visto che ce la stavamo spassando sono intervenuti presentandosi come i fratelli di Giacometti. All'inizio ci divertivamo moltissimo ad assecondarlo, e finivamo per passare più tempo con lui che con Filippo. Poi, quando ci siamo resi conto che il signor Emilio era stato completamente abbandonato dalla famiglia, il divertimento è scemato. Un giorno Manu ha aperto l'armadietto del vecchio: era pieno come il magazzino di un supermercato. È così che i parenti si erano lavati la coscienza, con una bella scorta di viveri, poco importava se Emilio non riusciva nemmeno ad alzarsi dal letto. Uno schifo. Le persone non si rendono conto che un anziano lasciato da solo in ospedale ha i giorni contati. Senza le visite costanti dei parenti che suppliscano alle carenze strutturali della sanità pubblica è spacciato. Serve qualcuno che avvisi quando la flebo sta finendo, che dia loro le medicine e li aiuti a mangiare. Sembra assurdo ma molti vecchi non si riprendono più semplicemente perché non riescono a nutrirsi. Senza contare che l'ospedalizzazione acuisce la demenza, fuori dal loro ambiente gli anziani perdono i punti di riferimento e iniziano a sragionare. Per questo quando Filippo è finito sotto i ferri ci siamo riproposti di non lasciarlo mai solo e non abbiamo perso neanche un minuto dell'orario di visita. Anche se nel suo caso avremmo potuto rilassarci, visto che ogni volta che arrivavamo, immancabilmente, Manu era già lì.

«Allora, dottor Blasi, cosa ne dice?» chiedo.

«Caro mio, Emilio ci seppellirà a tutti!».

«Allora posso tornare a casa?» chiede il vecchio.

«Tra qualche giorno, prima però devi mangiare e riprendere le forze» gli dico.

Prendo il vassoio e litigo per qualche minuto con la pellicola adesiva della vaschetta.

«Cosa abbiamo qui? Oh, una bella minestrina fredda... disgraziati... ottimo! Così non ci si scotta la lingua!».

15.

«Osvaldooo! Lo sappiamo che sei in casa!» urla Filippo.

«Forza, apri 'sta finestra!» gli intimo.

«Che c'è, che c'è?» urla dietro il vetro.

«Ti sei tappato!».

«Nun me so' tappato!».

«Sì, ti sei tappato di nuovo! È una settimana che non esci!».

«Nun me so' tappato e nun è 'na settimana! Sto solo poco bene... forse è influenza».

«Ci risiamo...» mi sussurra Filippo.

Finalmente fa capolino dalla finestra sudicia del seminterrato. Appena la apre tossisce e si avvolge una sciarpa di lana intorno al collo. È il segno, chiaro a tutti, che sta fingendo.

«Cosa ti senti?» gli chiedo.

«Un po' di debolezza... nausea... giramenti...».

«È incinta...» mi fa Filippo.

«Porca miseria, Osvaldo, falla finita e vieni fuori!».

Non ho niente contro i fioretti di Osvaldo, però chiudersi in casa no, non gli fa bene. L'ultima volta che si è tappato sembrava impazzito, era sempre distratto, parlava da solo, guardava nel vuoto. Già c'è Filippo che sta messo così, adesso ci manca solo lui.

«Ecchime ecchime! Sarete contenti ora!» ci dice uscendo dal portone.

«Oh, guarda che bella giornata. Ma come cavolo fai a startene a casa!».

«Sì sì, 'na bella giornata pe' mori'... ma tanto a voi che ve frega» e tossisce.

Se evitasse di usare il colpo di tosse come sottolineatura sarebbe più credibile.

«Dài, facciamo due passi» dice Filippo, e tossisce.

«Ma sì, poi magari un gelato al bar» dico, e tossisco.

Prendiamo la via più innocua, quella che porta al centro anziani. Le altre, quelle che passano davanti ai negozi, sono deleterie per l'umore di Osvaldo. Quarantanove euro un paio di scarpe: sono novantottomila lire, direbbe, oppure davanti alla pasticceria: un mignon cinquanta centesimi, sono mille lire! Quando c'è stato il passaggio dalle lire all'euro in televisione trasmettevano una réclame dedicata a noi anziani. C'erano dei vecchi che facevano la spesa e una voce diceva che per persone come loro, che ne avevano viste tante, il passaggio alla nuova moneta sarebbe stato uno scherzo. E tutti quei beoti sorridevano. Il messaggio si chiudeva con un consiglio: abituatevi a pensare in euro! Senza chiarire il perché: che se ogni volta vi mettete a fare la conversione in lire vi accorgete che i prezzi sono raddoppiati e vi piglia un colpo secco.

Approfitto di uno dei tanti momenti di distrazione di Filippo per prendere Osvaldo sottobraccio.

«A me puoi dirlo» gli bisbiglio.

«Che?».

«Il fioretto… perché ti sei tappato in casa?».

«Ah… pe' Filippo, tra un mese c'ha er controllo medico. Mo' me toccherà fanne n'artro».

«Filippo ha bisogno di noi per rimettersi, mica puoi sparire così. Diglielo a Dio che ti sei sbagliato…».

«Alla Madonna».

«Eh?».

«L'ho chiesto alla Madonna. Filippo è nato a maggio, è 'r mese della madonna, me so' sentito più sicuro con lei».

Preso atto che Osvaldo intrattiene scambi commerciali con tutta la Sacra Famiglia, vedo Filippo che smette di vagabondare, schiocca le dita e si avvicina.

«Ecco che vi volevo dire! Avete saputo di Guido?» ci chiede.

Questa è l'età nella quale se qualcuno ti chiede se hai saputo di qualcun altro quasi sempre c'è di mezzo un decesso.

«No, Guido no…» dico.

«Mica è morto… solo che la bella vita in campagna adesso se la sogna».

«E perché?».

«Ha chiesto un prestito a una finanziaria e c'è rimasto invischiato».

«È assurdo, un tipo attento e scrupoloso come lui…».

«E invece… addio pensione in campagna. Ora s'è messo a fare il pony, tutto il giorno su e giù in motorino a consegnare pacchi».

«Ce lo poteva di', j'avremmo dato 'na mano» dice Osvaldo.

«Ma quale mano, qui si parla di migliaia di euro, milioni di lire…» traduce a beneficio dell'amico.

«Però je potremmo sempre fa' recapita' le nostre buste...».

Sembra che quei bastardi lo sappiano: appena mi trovo in un momento di difficoltà economica, nella buca delle lettere trovo un volantino con le offerte di qualche finanziaria sconosciuta. Ora scuoto la testa, ma anch'io mi sono fatto allettare, con un prestito di cinquemila euro si possono fare un sacco di cose, comprare un condizionatore d'aria per esempio, saldare i debiti con il condominio e sistemare le inferriate che cadono a pezzi. Gli interessi sembrano sempre ragionevoli, le rate abbordabili e ti dici: perché no? Quando sei vecchio e vivi con la pensione minima i no sono migliaia, migliaia come le parole che conosci e che quando servono non ti vengono mai in mente. Sei lì seduto al tavolo con carta e penna a pensare se puoi permetterti quelle rate e "conguaglio", "TAC", "risonanza magnetica", "multa" o "ipoteca", non c'è niente da fare, ti restano sulla punta della lingua.

Ci sediamo a un tavolino e dividiamo fraternamente i fogli di un quotidiano. Come al solito Caino e Caino Junior mi hanno rifilato la parte che parla di borsa e finanza. Lauretta è seduta due tavoli più in là, ha con sé due buste piene zeppe di fiori finti che sta regalando alle amiche. Sul suo tavolo vedo il libro che mi ero ripromesso di regalarle, poi è arrivata la bolletta del gas e addio. È una persona curiosa, legge e studia in continuazione, ha sempre voglia di provare cose nuove. Sono settimane che si allena con le bacchette giapponesi perché vuole andare a mangiare il sushi senza sfigurare. Noialtri, invece, siamo vecchi dell'altro tipo, siamo quelli ben attaccati alle cose di sempre, quelli che dicono: «Il pesce crudo? Vuoi mettere quanto è più buono un piatto di spaghetti con le vongole?». Passiamo metà della vita a cercare di cambiare il mondo e l'altra metà a cercare di mantenerlo com'era. Imprese che contemplino un margine di successo non c'interessano proprio.

Adesso mi piacerebbe sedermi accanto a lei. E leggere insieme le pagine di quel libro. Guardo il suo dito indice, appesantito da un anellone in similoro con pietrone di bigiotteria: scorre sulle pagine e guida il karaoke della lettura. Se questo fosse un mondo perfetto, adesso lei alzerebbe lo sguardo e mi sorriderebbe. Io la raggiungerei sulla panchina, prenderei il libro e inizierei a leggere. Lei mi ascolterebbe con l'aria da bambina, si stringerebbe a me e mi direbbe...

«T'è venuto un ictus?».

«Eh?» chiedo a Filippo, che si è intrufolato nei miei pensieri.

«Te ne stai immobile con lo sguardo fisso».

«Ah no, pensavo...».

«Tanto si vede che ti piace».

«Chi?».

«Chi... come chi... Lauretta, no?».

«Sssh! Che ti urli? Pensa te quanto poco ci capisci... A me, guarda un po', a me piace... Agata!».

È ovvio che se stai per sparare una balla e vaghi con lo sguardo all'interno di un centro anziani in cerca d'ispirazione, nove su dieci la tua scappatoia avrà le sembianze di una vecchia babbiona.

«Agata?» urla Filippo.

«La pianti di strepitare?».

«Agata? Agata *quella*?».

E la indica, l'idiota.

«Sì, be', Agata *quella*. Perché, che c'è? Non può piacermi? È una signora sensibile, molto a modo».

«Ma come si fa...».

La mia sarebbe una tattica militare, chiamata diversivo: sviare l'attenzione del nemico fingendo di puntare a un obiettivo per poter agire indisturbato sul reale scopo della tua missione. A volte funziona, a volte.

«Ma come si faaa...» ripete Filippo quando Agata si volta sorridente.

16.

Piove, e quando piove i vecchi li vedi dietro le finestre, come i carcerati dietro le sbarre in attesa dell'ora d'aria. Io non faccio eccezione. Giro per casa raddrizzando quadri e ispezionando le superfici in cerca di un po' di polvere. Con un minimo d'ingegno ne trovo sempre.

Ci sono due tipi di casa di anziano solo. Quella del depresso, nella quale non funziona più nulla, la polvere regna ovunque, il lavello è pieno di piatti e il frigorifero ha l'alito cattivo; e quella del maniaco, sempre ordinata come un santuario, con portafotografie sparsi a grappoli, una marea di soprammobili dall'assetto invariabile e dettagli inquietanti come le buste di plastica perfettamente piegate. Ci penso a cose fatte, un attimo dopo aver appiattito l'ultima busta.

A giudicare dall'ordine non si può certo dire che a casa mia si senta la mancanza di una donna. Ma la mia casa è molto brava a mentire, la mancanza si sente eccome. È una strada senza ritorno, dopo che è morta Ada ho avuto problemi con tutte le cose deperibili. Lei si è spenta lentamente, mi ha dato tutto il tempo per pensare e capire che tanta sofferenza non è umanamente gestibile, o almeno non lo è dall'umano qui presente. Non ero certo un ragazzino, avevo cinquantadue anni, ma l'età mi aveva conferito solo una straordinaria abilità nella gestione delle cose pratiche. Analisi, ospedale, operazione, prestito in banca, degenza in clinica dignitosa, consulto con primario di chiara fama, tutto affrontato con rapidità ed efficienza. Ma i sentimenti sono una cosa diversa. È come provare a dare una forma all'acqua. Il coraggio ti scappa via da tutte le parti, l'amore straborda, la paura scende a rivoli. Non so combattere i nemici invisibili, è difficile tendere un'imboscata alla paura di perdere una persona, è quasi impossibile assalire alle spalle la fine di un amore. E così non mi è rimasto altro da fare che incassare la sconfitta e pagare i danni di guerra: nessuna relazione, niente sentimenti perché le persone muoiono ma tu non puoi sapere quando, e questo genere di sorprese non fa più al caso mio. Non voglio niente accanto a me che non sia garantito per tutta la vita.

Con i miei amici è diverso, con loro riesco a mantenere quel minimo di distacco nel rapporto, evito di coinvolgermi troppo. Oddio, con Filippo la cosa non è che mi sia riuscita proprio bene, e infatti ecco che un cancro ha provato subito a portarmelo via. Ma come si fa a mantenere un atteggiamento distaccato con uno come lui? Ha un talento unico, riesce a tenermi compagnia anche quando non apre bocca. È un amico da leggere, lui. Si fissa a guardare una motocicletta e negli occhi gli leggo la voglia di comprarsene una e fare il giro del mondo; guarda il falegname che pialla una tavola e gli leggo la voglia di tornare ad avere un'occupazione; osserva il cielo e gli leggo la speranza che quell'occhiata sia amorevolmente ricambiata. Nel suo caso posso solo sperare che la sorte non si diverta a mischiare le carte come fa di solito e mi faccia crepare prima di lui. E comunque me la ricordo com'era la mia vita da persona libera da coinvolgimenti. Mi alzavo alle cinque con l'intenzione di fare migliaia di cose e finivo a girare su e giù come un pazzo. Uscivo e benedicevo il giorno in cui sulla mia strada trovavo un cantiere. Quanti sorrisi rivolti ai vecchi che guardano i lavori stradali appostati dietro le transenne, migliaia di sorrisi, tanti ne ho indirizzati alle spalle di quei vecchi soli in cerca di qualcosa da fare. E anch'io alla fine ho fatto il giro di boa, l'ultimo. Ti fermi a guardare gli scavi per le tubature dell'acqua senza realizzare che quel buco ti affascina perché è lì che stai per finire. È stato una mattina di aprile il mio giro di boa, sono uscito di casa alle otto e non ho resistito al richiamo di una ruspa. È a due passi, mi sono detto, vado a vedere che fanno. Mi sono fermato dietro la transenna creando quel quadretto ridicolo, visto tante volte da spettatore di passaggio. Un'occhiata al buco, una al ruspista, un'altra agli operai fermi in attesa del loro turno e la bofonchiata classica: «Uno che lavora e due che guardano...». Quante volte mi sono chiesto: va bene guardare, ma come fanno a starci delle ore? Non hanno proprio un cavolo da fare? Adesso so le risposte: ovviamente non avevo un cavolo da fare e potevo resistere delle ore perché ogni tanto un operaio mi sorrideva e qualcuno da dentro la buca si rivolgeva a me dicendo: «Stamo a cerca' er petrolio, dotto'!». E se sei vecchio non puoi proprio rinunciarci, perché probabilmente quel sorriso e quella battuta sono le uniche che riceverai durante tutta la giornata. Ti sorridono una volta e tu puoi aspettare anche un'ora in attesa che lo facciano di nuovo, e mentre aspetti sogni che ti chiedano qualcosa, anche di stupido, tipo comprargli una bottiglia d'acqua o magari mangiare un panino con loro.

17.

Non ho mai amato molto il calcio, però ho imparato che la qualità della tua vecchiaia migliora di un buon trenta percento se sei tifoso della squadra locale. Parli di calcio col barista, poi con gli amici, poi col portiere del centosettantuno, poi si vede la partita tutti insieme al centro e se va bene si fa tardi la sera a parlare del risultato. La voglia di tifare te la fai venire per forza, quando sei vecchio.

«È assurdo, s'è fatto beccare almeno sette volte» dico.

«È 'na tattica... pensa che se sta sempre in fuorigioco prima o poi er guardalinee s'abitua».

Enzo, detto Chef perché fa i peggiori tramezzini della zona, è uno dei samaritani del quartiere. Non s'innervosisce se prendo un caffè e gli tengo occupato il tavolino per un'ora, due chiacchiere le fa sempre volentieri e se c'è la partita mi lascia il posto più vicino al televisore. Ha trent'anni, la battuta pronta e il corpo ricoperto di tatuaggi intimidatori. Nessuno si intimidisce però, perché è il classico romano, un pezzo di pane palestrato che alza molto la voce e mai le mani. I suoi «Fammene anda'» sono leggendari. Dopo un derby s'è preso a male parole con un tifoso della Lazio, stavano per picchiarsi ma lui: «Fammene anda' sinnò oggi finisco in galera!» ha urlato, e si è defilato. Il proprietario del negozio di elettrodomestici gli ha venduto un televisore rotto e a rissa innescata: «Fammene anda' che... mmmh!...». Un automobilista distratto gli ha rigato l'auto nuova mentre faceva manovra e lui è uscito come una furia, gli ha urlato di scendere e quando quello è sceso: «Fammene anda' che sinnò nun sai che te faccio!». E infatti siamo ancora tutti qui che aspettiamo di scoprirlo.

«Nooo! Questo lo segnavo pure io» dico di fronte all'ennesimo gol mancato.

«Ma quello lì segna solo per sbaglio... se crossava dovevi vede' come finiva dentro er pallone».

Oggi i miei amici sono andati tutti al cimitero e io ringrazio il barista samaritano per la compagnia. Vorrei ringraziarlo più concretamente prendendo un altro caffè ma non è proprio periodo per permettersi stravizi. E poi sono già nervoso, in questo momento Lauretta sarà di fronte alla tomba del marito e l'idea che gli stia giurando amore eterno mi manda al manicomio. Me ne rendo conto, sono una brutta persona, ho un pessimo carattere e, vista l'età, ho un margine di miglioramento prossimo allo zero.

Molti anziani vanno al cimitero come da giovani andavano al parco, per incontrare le donne. Il cimitero offre una certezza in più: non si rischia di fare il cascamorto con una donna fidanzata o sposata. Su questo non c'è problema, si va a colpo sicuro, magari con un minimo di accortezza si può passare alle spalle della signora mentre prega davanti alla tomba e leggere la data della scomparsa del coniuge. Nei primi sei mesi non c'è trippa per gatti.

Anch'io andavo al cimitero, ma solo per il censimento annuale dei nati nel millenovecentoventiquattro. Ada non mi ricordo nemmeno più dove sia sepolta, mi ha chiesto lei di non diventare uno di quei vecchi che si obbligano alla visita del due novembre. Tanto non siamo nemmeno sposati, diceva, tanto la tua tomba ce l'ho dentro di me, dico io. Così, senza nessuna pretesa statistica, girovagavo tra lapidi e fornetti leggendo nomi e date, guardando le foto. Sono sempre tutti seri, impettiti, qualcuno pare proprio seccato, quelle foto sembrano fatte sapendo già a cosa sarebbero servite. Ma c'è qualcosa di male a mettere sulla tomba la foto di un volto sorridente? Io lo farei. Devo ricordarmi di aggiungerlo al mio testamento.

Lo ammetto, una volta ci sono caduto anch'io. Ho sbirciato la data sulla lapide e ho fatto il cascamorto con una vedova sessantenne, ma era solo una prova, lo sapevo benissimo che non ero ancora pronto per una nuova relazione. L'ho aiutata a cambiare l'acqua ai vasi, a pulire il marmo della lapide del marito con la paglietta di ferro, a lucidare la cornice della foto con il Sidol. Abbiamo iniziato a parlare del più e del meno e presto il discorso è caduto sul marito. Viene fuori che era un inventore, ma non uno qualsiasi, era niente di meno che l'inventore degli occhiali "Vedo Nudo", del bracciale "Macho Power" e di altri meravigliosi aggeggi che per anni hanno avuto un posto fisso nell'ultima pagina dei settimanali e delle riviste a fumetti. Ci siamo incontrati anche la settimana dopo, in quell'occasione mi ha raccontato che la prima invenzione del marito è stata "L'occulta migrante". Era povero in canna e voleva trasferirsi da Catania a Milano per cercare lavoro. Come molti in quel periodo, non aveva i soldi neppure per prendere un autobus, figuriamoci un treno per una tratta così lunga. E allora inventò questo aggeggio, un pannello di cartone ricoperto di tela nera che si chiudeva a soffietto, con listarelle lunghe e sottili, facilmente trasportabile nonostante fosse alto come un uomo. Il pannello andava utilizzato nelle vie di passaggio tra un vagone e l'altro, che in quegli anni erano senza illuminazione e rivestite da guaine di gomma a soffietto. Il migrante che voleva sfuggire ai controlli, invece di tentare la sorte chiudendosi in bagno o di correre da un vagone all'altro, non doveva far altro che appostarsi nel punto di passaggio tra due carrozze e aprire il cartone davanti a sé appena vedeva un controllore. Questo tizio finì per starmi simpatico e di lì a poco il mio tentativo di seduzione si trasformò in un'amicizia che, ne sono sicuro, ha reso quella povera donna più felice di qualsiasi corteggiamento avessi potuto provare. Con il racconto dell'"Antifurto Dissuasore Callaghan" quell'uomo diventò il mio eroe. Si trattava di un congegno a basso costo che constava di una cellula fotoelettrica e un registratore: se la cellula rilevava una presenza, il registratore emetteva una serie di famose invettive dell'agente Callaghan, tipo: "Coraggio fatti ammazzare!... Siamo in tre, Smith, Wesson e io...".

La domenica successiva l'ho attesa invano, quella dopo anche, la terza ho deciso di aspettarla davanti alla tomba del marito. Per ingannare il tempo ne ho approfittato per dare una pulita alla cornice con l'antiossidante. E l'ho trovata lì, in fotografia, accanto al marito che mi guardava male.

«Nooo!» urla Enzo.

«Che succede?».

«Quell'infame c'ha fischiato er rigore contro!... Fammene anda' che sinnò nun sai che je faccio!».

18.

NOI VOGLIAMO RINNOVARE LA NOSTRA CLASSE POLITICA CON PERSONE CHE SIANO COLTE E PREPARATE.

Rimpiango di essere un maledetto ignorante, di aver letto pochi libri, di aver preferito i telefilm ai documentari, di essermi sempre circondato di persone che la pensavano come me, di non aver tenuto abbastanza allenati il cervello e la parola. Quando in tv è apparso il servizio che riportava l'ultima uscita di un ministro della Repubblica, ho visto Manu soffrire e non ho saputo reagire. Siamo a casa di Filippo, stiamo festeggiando un onomastico finto perché le analisi di Osvaldo hanno evidenziato una leggera anemia e quindi abbiamo comprato dei pezzi di filetto che così alti li avrò visti un paio di volte in tutta la mia vita. Ce la ridiamo tra un bicchiere e l'altro mentre Manu apparecchia la tavola. In sottofondo c'è il telegiornale, parlano della battuta dell'onorevole Calderoli, la definiscono "infelice", ma chi ci fa più caso. Tanto più che Ettore sta raccontando il suo cavallo di battaglia: la volta che scambiò la figlia del governatore della Cirenaica per la puttana del reparto. «La civiltà gay ha trasformato la Padania in un ricettacolo di culattoni!». L'uscita del ministro è arrivata così, mentre Ettore ci mimava la faccia del governatore e Manu prendeva dei piatti proprio dal mobile su cui è appoggiato il televisore. L'onorevole fa la sua battuta, il pubblico ride e Manu si irrigidisce per un istante. Quanto basta per mandare in frantumi l'illusione di vivere in una società evoluta, in una ex culla della civiltà capace di accettare, perché ignorare sarebbe troppo, la diversità. E io rimpiango di essere quello che sono e di non aver trovato niente di meglio da fare che arraffare il telecomando e spegnere la tv, aumentando il silenzio e l'imbarazzo generale. Manu si è alzato, ha sfoderato un bel sorriso e ci ha detto: «Sapete cosa? Al diavolo la dieta, oggi un paio di bicchieri con voi me li faccio proprio». Ha racimolato la forza per sorridere, si è preoccupato di non rovinarci la giornata. E adesso vorrei tanto che un luccicante meteorite fucsia estinguesse selettivamente noi e tutte le generazioni balorde che non sono riuscite a essere fiere di questi figli.

Ci diamo un bel da fare per spezzare la tensione, Ettore racconta da capo la storia della figlia del governatore, io rispolvero la storia del partigiano che s'infratta in un cespuglio per sfuggire a una pattuglia di soldati tedeschi e quelli, con centinaia di cespugli a disposizione, scelgono proprio il suo per andare a pisciare. Osvaldo, ubriaco, ci mette mezz'ora a raccontare la volta che è rimasto incastrato nel sottotetto di un magazzino che voleva svaligiare e ha dovuto aspettare due giorni, senza bere né mangiare, perché il corpo gli si assottigliasse quanto bastava per permettergli di sgusciare via. Filippo racconta quella del ragazzo ebreo nascosto nei lavatoi che saltava dentro i cassoni dell'acqua gelata ogni volta che i bambini si divertivano a urlare: «Arrivano i tedeschi!». Ci diamo sotto con il vino e Manu beve ben più di un paio di bicchieri. Alla fine però non resistiamo.

«Alla faccia sua!» dice Filippo alzando il bicchiere.

«Alla faccia sua!» diciamo noi.

«No, alla faccia sua no, brindiamo a qualcosa di bello, invece» dice Manu.

«Al culo di Fernanda allora!» propone Ettore.

«Al culo di Fernanda!».

Dopo aver sparecchiato, lavato i piatti e preparato il caffè, Manu ci ha salutati. Da qualche minuto il cucchiaino di Filippo tintinna nella tazzina, a sottolineare il silenzio che è piombato nel salotto.

«Voglio vedere se qualcuno chiederà scusa, stavolta! Voglio vedere se Berlusconi...»

«Che c'entra Berlusconi, ora? Ci mancherebbe solo una sua battuta sui gay!».

Tutti annuiamo. Disperdiamo gli sguardi negli angoli della stanza, ci grattiamo menti, nuche e gomiti, pensiamo a una frase da dire ma la cosa non è alla nostra portata.

«Santo dio, che schifo de mondo. Fortuna che stamo pe' toglie' 'r disturbo...» dice Osvaldo.

«A Osva'! E basta!» lo interrompe Ettore.

«La fai finita con quel cucchiaino?» dico sgarbatamente a Filippo.

«Io parlo quanto me pare!» dice Osvaldo a Ettore.

«Io giro quanto mi pare!» dice Filippo a me.

La frustrazione fa brutti scherzi. Nel nostro caso lo scherzo è sempre lo stesso: ci fa bisticciare come ragazzini. Il punto è che non sappiamo come dircelo che dovremmo fare qualcosa, perché tanto ci inchioderemmo sulla domanda successiva: "E cosa vuoi fare?". Già, cosa vuoi fare tu, vecchio residuato della Seconda guerra mondiale, tu che non riesci a farti rispettare nemmeno dall'impiegato del comune, tu che se alzi la voce a torto o a ragione ti prendono sempre e comunque per arteriosclerotico? Niente, ecco cosa, non fai niente se non limitarti a borbottare, a sfogare il nervosismo sugli amici o a prenderti ridicole rivincite tipo quella che si sta prendendo ora Filippo.

«Io il caffè lo giro quanto mi pare, guarda un po'!» dice sbatacchiando il cucchiaino nella tazzina.

TESTAMENTO IV

Roma, 6 novembre 2009.

Io, Angelo Di Ventura, nel pieno possesso delle mie facoltà fisiche e mentali, con la presente scrittura dispongo che la proprietà di tutte le mie sostanze venga suddivisa come segue: il venti percento in parti uguali ai miei due nipoti, il cinquanta percento ai miei amici Filippo Baldi, Laura De Bernardinis, Ettore Pacini e Osvaldo Antonelli, il trenta percento a Emanuele Baldi con la speranza che i soldi bastino a tenerlo lontano da questo Paese per il tempo necessario a non sentire più certe puttanate.

Nomino mio esecutore testamentario il signor Filippo Baldi.

19.

La serata di ieri è stata grandiosa, proprio quello che ci voleva dopo due giornate strapiene di apatia e nervosismi. Ettore in queste cose è bravissimo, sa ricreare alla perfezione l'atmosfera da nucleo partigiano combattente. Ci siamo riuniti a casa sua, in salotto, con tutte le serrande abbassate e la stanza illuminata da un lume a petrolio. Sul tavolo: stradario, carta millimetrata, matite e righelli. E vino a volontà.

Analizzando un filmato estratto dal telegiornale e registrato su videocassetta abbiamo studiato la scorta del premier. Otto uomini, metà della polizia e metà guardie private provenienti dai corpi d'élite dell'esercito, come abbiamo appreso dall'articolo apparso su un settimanale. A un gruppo di persone sensate, questo sarebbe bastato per chiudere la faccenda e tirar fuori un mazzo di piacentine. E invece la notizia non ci ha affatto scoraggiati, al contrario: siamo passati come se nulla fosse alla valutazione degli armamenti, al computo delle auto della scorta, e infine allo studio delle residenze del premier. Abbiamo fatto le ore piccole progettando tunnel, azioni diversive e blocchi stradali. Solo alle undici e trenta, vinti dalla stanchezza, ce ne siamo andati a letto.

Sì, forse vecchi e non troppo lucidi, lenti anche, ma diamine se sapremmo organizzarla davvero un'azione militare. Ci basterebbero qualche settimana, una rete di complicità e i mezzi giusti. Ma chi ha voglia di imbracciare di nuovo un fucile? È stato divertente pianificare una nuova missione, ma io non voglio più sparare un colpo in tutta la mia vita, neanche un petardo a capodanno. Non voglio tentare azioni violente con speronamenti o bombe stordenti: l'idea di ferire qualcuno, o anche solo di provocargli un danno temporaneo a un timpano, mi fa inorridire. Queste sono operazioni che in tempo di pace potrebbero mettere in pratica solo delle mezzeseghe, quelli che pensano di ispirarsi alle nostre azioni partigiane e invece finiscono per somigliare molto di più al criminale da strapazzo che per rubare trenta euro d'incasso in un negozio fa una strage.

La mattina dopo ci ritroviamo nuovamente intorno al tavolo. È pieno giorno ma siamo lo stesso al buio, con il lume a petrolio. Ettore spiana sul tavolo una piantina topografica fatta in casa che riproduce piuttosto rozzamente il luogo dell'agguato. Il piano che stiamo prendendo in esame è l'unico incruento partorito la sera prima. Con quattro "x" colorate sono indicate le nostre posizioni di partenza, con una linea tratteggiata il percorso da compiere.

«Io e Angelo aspettiamo qui all'angolo, Filippo parte con l'azione diversiva. Poi entri in azione tu, Osvaldo. Devi correre fino al punto due mentre noi gli siamo addosso da est, nel punto tre. Domande?» chiede Ettore.

Sì, ne ho un paio. Osvaldo deve correre fino al punto due. Correre? Osvaldo cammina con il bastone, il massimo che gli ho visto fare è sgambettare per una decina di metri scarsi. Non solo: io e lui dovremmo essergli addosso da est. *Essergli addosso?* Pensa di prenderli di sorpresa arrivando col fischio dell'enfisema? Una follia.

«Ci serve un bel po' di preparazione» dico per non smontare il loro entusiasmo.

«Certo, dovemo studia' tutte 'e posizioni e fa' 'n paio de sopralluoghi, mica semo degli sprovveduti» dice Osvaldo.

Niente, proprio non ci arrivano.

«Preparazione fisica intendo! Quanti metri dovrebbe correre Osvaldo?» chiedo a Ettore.

«E che saranno… una trentina o poco più».

Segue simulazione. Usciamo, raggiungiamo il parco, verifichiamo che non ci sia nessuno nei paraggi e misuriamo i trenta metri. Li misuriamo a falcate, Ettore ha il fiatone solo a seguirci. Prendo il Casio che mi ha regalato mio nipote, aziono la suoneria, la calcolatrice, la sveglia, una seconda suoneria, poi finalmente becco il cronometro.

«Ci sei Osvaldo?» chiedo.

Lui neanche risponde, per risparmiare il fiato mi fa okay col pollice.

«Via!».

Il tempo di reazione è imbarazzante, sembra un fermo immagine. La camminata prende a poco a poco consistenza, ma a metà percorso comincia a calare vistosamente. A quel punto Osvaldo decide di puntare tutto sullo stile: raggiunge il traguardo a passetti striminziti ma con una bella postura da podista degli anni Venti.

«Tempo?» chiede Ettore.

«Quarantasette secondi e rotti» dico.

«Bene!».

«Come bene! Il record sui cento metri, cento, non trenta, è di nove secondi e mezzo!».

«Ci godi a minare il morale della truppa, eh?».

Osvaldo precisa che può andare più veloce di così, oggi ha un dolore all'anca perché è cambiato di nuovo il tempo e con le pantofole non dà il meglio. La seconda gliela passo.

Segue prova di scavalcamento. Per la missione vera e propria ci serviremo di scale e corde, ma Ettore dice che dobbiamo essere pronti a fronteggiare qualsiasi imprevisto.

«Uno sciopero delle ferramenta...» dico.

«Un embargo sulle importazioni di corda...» ipotizza Filippo.

«La piantate di fare gli idioti? Il materiale va posizionato e mimetizzato ventiquattr'ore prima dell'incursione. Può accadere qualsiasi cosa e dobbiamo essere pronti a rinunciarci».

Ettore si mette con le spalle al muro di cinta del centro, incrocia le mani e mi offre i palmi a mo' di gradino. Io non riesco ad alzare a sufficienza il piede, lui non riesce a colmare la distanza abbassandosi sulle ginocchia. Si crea uno strano balletto che va avanti per qualche minuto.

«Aspetta, aspetta... possiamo risolvere. Filippo, sdraiati a terra» dice Ettore.

Discutiamo animatamente, poi, solo per non sentirlo più, Filippo si sdraia e lascia che io gli salga sulla schiena. Con questo espediente riesco a colmare la distanza dalle mani di Ettore e ad arrampicarmi. Adesso la scena è questa: Ettore è appoggiato con la schiena al muro, le gambe gli tremano in maniera preoccupante. Io sono sulle sue spalle, ma non in piedi, in ginocchio, e con il sedere sulla sua testa. Di fatto, non riusciamo più a muoverci.

«Metti prima un piede e poi l'altro!» urla Ettore.

«Non ci riesco! Sono bloccato!».

Aderisco al muro a braccia spalancate, la guancia poggiata alla parete per non cadere all'indietro.

«Aiutiamoli, che questi si ammazzano...» dice Filippo.

«Aspettamo ancora un pochettino...» sento dire a quello stronzo di Osvaldo.

Arriva un momento, nella vita di ogni anziano, nel quale non ci si rende conto dei propri limiti fisici. O almeno, non del tutto. Si pensa ancora di poter fare mille cose, e che se non lo si fa è solo per non stancarsi, o perché non ce n'è motivo, o perché si è fuori allenamento. La verità è che semplicemente non ce la si fa più: le gambe di una volta, quelle che consentivano magnifiche escursioni; le mani di una volta, quelle che avevano la forza per svitare i barattoli di marmellata, sono ormai soltanto foto in bianco e nero da mettere nell'album di famiglia. Ma non voglio essere io a dare questo dolore ai miei amici e così lascio che il piano "Assalto a Villa San Martino", nome in codice "Achille Compagnoni", venga ufficialmente scartato solo per la scarsità di forze dispiegabili sul campo.

20.

Mia madre era bustaia, faceva i corsetti, quelli rinforzati con gli ossi di balena. Da qualche tempo penso a lei ogni volta che mi ritrovo a letto ammalato. Basta nulla, un po' di febbre, un mal di stomaco, o un indebolimento passeggero come adesso, e dopo un po' che sono sdraiato ne sento la mancanza. Prima è arrivato un rumore dalla cucina e mi si è aperto il cuore. È stato un attimo, il tempo di pensare che non ero solo, che qualcuno si sarebbe preso cura di me, che di lì a poco sarebbe arrivata una bella fetta di pane, burro e zucchero. Chissà cosa significa, forse è uno dei tanti sintomi del tornare bambini, il ricordo che l'ultima volta che mi sono sentito così indifeso avevo sette anni e quello che facevo era cercare la mamma.

Per scongiurare altri effetti patetici decido di alzarmi dal letto. Ogni gesto mi costa fatica ma è sempre meglio che restare sdraiati in preda alle allucinazioni. È solo colpa della pressione bassa. Fino a qualche anno fa non mi fermava nemmeno l'afa estiva, lo facevo apposta: alle due spaccate uscivo e andavo al bar. E per chiarire che non ero un vecchio – quelli sì che facevano bene a restarsene tappati in casa – mi sedevo a un tavolino all'aperto sotto il solleone. Solo che questa buffonata non impressionava nessuno, tanto meno il mio organismo, e quando ho avuto uno svenimento davanti al portone del palazzo ho deciso di farmene una ragione: con trentasei gradi all'ombra e un'umidità del settanta percento non ci si stacca dal ventilatore. «Ma è matto a uscire con questo caldo?» mi ha detto il ragazzino che mi ha soccorso. «Alla sua età...» ha aggiunto. E io, che respiravo come se avessi un cuscino caldo premuto sulla faccia, non sono neanche riuscito a mandarlo a quel paese. Purtroppo qualcuno ha chiamato l'ambulanza: quando vivi in un condominio di vecchi come quello in cui abito io non c'è niente di peggio. I vecchi non hanno pudore. La signora Belsini ha chiesto alla badante di spalancarle la porta di casa e si è piazzata in poltrona a godersi lo spettacolo. Poi si è creato un capannello di ultrasessantenni prodighi di consigli. «Alzi le gambe, si metta seduto, si sdrai su un fianco, faccia dei respiri brevi, beva dell'acqua, no, meglio di no sennò si strozza». Il consulto si è interrotto solo quando la Belsini ha urlato: «Non gli state così addosso! Fatelo respirare!». Mica per altro, è che le coprivano la visuale. Mentre l'ambulanza mi portava via immaginavo i discorsi del capannello dei soccorritori. «L'ho visto proprio male... di quanti metri quadri è la sua casa?». «A quell'età il caldo non perdona... sapete se ha il posto auto o la cantina?». Purtroppo per loro, i sogni di espansione immobiliare sono naufragati dopo la prima flebo e alle otto ero già a casa. Siccome a quell'ora, ci si può scommettere, i vecchi del palazzo sono tutti seduti a tavola con gli occhi puntati sul tg, con Filippo e Manu abbiamo improvvisato un chiassoso ritorno fatto di canti e passi di danza. Praticamente un musical da pianerottolo.

Non volendo regalare altre false speranze ai condomini, oggi me ne resterò a casa.

È questa la morte: la drastica riduzione del raggio d'azione. Quando hai vent'anni puoi camminare anche per quaranta chilometri al giorno, poi il raggio si riduce, perché ti manca il tempo. Passi i quaranta e i cinquant'anni senza fare mai più di dieci chilometri al giorno, e soprattutto senza renderti conto che non potresti farne molti di più, pur volendolo. Arrivato ai sessantacinque te ne rendi conto eccome, perché ormai di tempo ne hai quanto ne vuoi, sono le forze che ti mancano, e così scopri che dopo un paio di chilometri ti fanno male i piedi e le ginocchia. Quando poi gli stessi dolori inizi a sentirli nel tragitto poltrona-bagno, buonanotte.

21.

Un fine settimana sì e uno no Lauretta prende il treno e va a trovare le figlie. "E questo è Angelo, il vostro nuovo papà": nei miei deliri notturni immagino sempre di partire con lei e di essere presentato alle figlie. Una famiglia con tre donne ecciterebbe i neuroni di chiunque: prendersi cura di loro, risolvere i piccoli inconvenienti domestici, svolgere le faccende più faticose. Poi regolarmente mi abbandono al gran finale: vinto dalla loro insistenza, faccio il pieno di attenzioni femminili seduto sulla poltrona come un pascià.

Osservo Lauretta mentre si avvia verso la fermata dell'autobus trascinando una piccola valigia rosa confetto con le rotelle. Un vessillo con il quale dichiara che non è ancora giunto il momento della resa.

È arrivata al capolinea e dovrebbe incacchiarsi perché l'autobus non c'è. Invece è allegra, canticchia qualcosa. Probabilmente già vede le facce delle figlie, immagina gli abbracci, sente il bisbiglio delle chiacchiere notturne in cucina. "E tu Angelo? Che ne pensi?". "Eh, che ne penso... penso che sei una donna forte, sei come tua madre, e devi saper aspettare. Se è vero amore tornerà". Ecco, mi sono immaginato al tavolo con loro, coinvolto in una discussione intima, e ho appena fatto la parte del vecchio rimbambito che parla da solo. Caro ragazzo ventenne che ora distogli lo sguardo e ti mordi un labbro per non ridere, ricordati questa scena, ricordatene tra quaranta o cinquant'anni, quando ti ritroverai a parlare con gli scaffali del supermercato. L'immaginazione dei vecchi è potente, produce kolossal al ritmo dell'industria cinematografica indiana e... no, non stiamo farneticando, stiamo commentando il film della nostra vita.

Nella sceneggiatura entra un autobus. Lauretta, ne sono sicuro, saluta in francese il conducente, sale a bordo senza bisogno di aiuto, timbra il biglietto, lo stesso da un anno, e si siede vicino al finestrino. Tra poco se ne andrà, lei, la mia fisioterapista, la donna che mi costringe a camminare con la schiena bella dritta per colmare quei quattro centimetri abbondanti di statura che ci separano.

Decido di allontanarmi prima che ciò accada, voglio conservare intatto il suo sorriso e magari regalarne un pezzo a Filippo.

*

Con l'età diventiamo tutti più devoti. Dopo un paio d'ore al parco trascorse a goderci il passaggio delle persone e dopo aver camminato su e giù alla vana ricerca di qualche novità, perfino la chiesa diventa un'attrazione irresistibile. Dobbiamo solo avere l'accortezza di entrare in silenzio e restare seduti negli ultimi banchi, vicino alle colonne, per evitare seccature. Ma non è così facile.

«Chi si vede...» mi dice il parroco con un sorriso poco accogliente.

«Ho accompagnato Filippo» preciso subito.

«Be'? Non si sta malaccio qui dentro, no? Dopo aver provato tutti i bar, tutte le bische, tutti i ristoranti della zona un'occhiata qui prima o poi la dovevi dare...».

Bische? Ristoranti? Questo pastore non conosce il suo gregge, però evito di entrare in polemica.

«Ambiente gradevole, giusto un po' cupo magari...».

Non ho una grande esperienza in materia, ma la chiesa del quartiere ha gli affreschi più sinistri che abbia mai visto. Santi e cristi sembrano zombie, hanno tutti il volto grigio e gli occhi spiritati. Non è l'incoraggiamento che speravo. Ogni chiesa dovrebbe essere un invitante dépliant pubblicitario del paradiso, pieno di colori e gioiose scene campestri. Che senso ha questo orrore? Perché togliere a un vecchio la speranza che ci sia un mondo migliore dopo la morte?

«Quei volti così sofferenti...» aggiungo.

«Ah, ho capito. Vorresti il Cristo hollywoodiano, quello che se ne sta inchiodato sulla croce con lo sguardo ispirato, l'incarnato bello rosa e appena un rivoletto di sangue sulle mani... Vai a San Romano allora, sono venti minuti d'autobus!».

«Manco li avesse fatti lui...» bisbiglio a Filippo mentre il prete se ne va.

«E comunque non c'è bisogno di starsene agli ultimi banchi, nascosto dietro la colonna» dice voltandosi di nuovo verso di me. «Sono abituato alle persone che diventano fedeli a un passo dalla tomba!».

Non sono a un passo dalla tomba, penso.

«Non sono nascosto dietro la colonna!» dico.

«Sì che lo sei. E piantala di muovere la bocca durante l'Atto di dolore, tanto si vede benissimo che non lo sai».

Io non sono mai stato un mangiapreti, ma questo don Sebastiano è davvero insopportabile. È vero, non sono credente e ho sempre schernito chi mi parlava di religione e aldilà, mi dicevano: «Il dialogo con Dio ti arricchisce, ti dà conforto» e io, che la differenza tra dialogo e monologo ce l'ho ben presente, rispondevo che piuttosto avrei chiamato il Telefono Amico; mi dicevano: «Dio lascia che siamo noi a trovare le risposte alle nostre domande» e io rispondevo evidenziando l'anomala somiglianza con la nostra classe politica. Di fondo c'è che ero giovane e semplicemente non volevo vivere tutta la mia vita come un atto preparatorio alla morte. Adesso è diverso, gli anziani del centro se ne vanno come mosche, i funerali mi costringono ad andare in chiesa sempre più spesso e alla fine è ovvio che un pensierino ce lo fai. Il mio pensierino in particolare è stato molto spiccio: tanto il paradiso non c'è, ma hai visto mai ci fosse non mi pare il caso di giocarselo per una misera messa settimanale. Per carità, non che mi aspettassi il tappeto rosso e caldi abbracci di benvenuto, però insomma, con tutte quelle storie che raccontano sul figliol prodigo, la pecorella smarrita e il vitello grasso uno non si aspetta certo la ramanzina del parroco sceriffo.

Usciamo dal portone centrale esibendoci in un accenno di genuflessione, quel poco che le ginocchia ci consentono.

«Non te la prendere, fa così con tutti» mi dice Filippo.

«Se ne approfitta perché sono educato, voglio vedere quando gli capiterà Ettore...».

«Ettore il trattamento l'ha già subito due anni fa».

«Ettore è già venuto a messa?».

«Ci viene sempre di sabato, per non dare nell'occhio, e spesso anche durante la settimana».

«E si batte il petto e ripete: "Per mia colpa, mia colpa, mia grandissima colpa" anche se non ha fatto un cacchio di male?».

«Sì Angelo! Proprio come te prima!».

«Un corno! Io ho solo mosso le labbra!».

22.

Ho visto il servizio alla tv sull'ultima barzelletta del premier. Gli astanti erano così ansiosi di compiacerlo che hanno riso per ben due volte fuori tempo, prima che la storiella fosse conclusa. È una strana forma di solitudine quella di quest'uomo, tante persone plaudenti intorno e neanche una che possa considerare davvero un amico, che abbia il coraggio di mettergli una mano sulla spalla e dirgli: "Silvio, questa faceva proprio pena". A vederla così mi spiego tante cose, anche il progetto del ponte sullo stretto. Il premier non è così diverso da me, è un vecchio solo che ama i cantieri, che subisce l'irresistibile richiamo delle ruspe. La differenza tra me e lui la fanno i milioni, io per vedere una ruspa al lavoro devo aspettare i comodi del comune, lui può metterne all'opera centinaia quando vuole.

Non mi piace fare il nostalgico, ma l'ultimo uomo politico di cui ho avuto davvero stima è il partigiano Pert. Poi solo illusioni passeggere, e alla fine l'estenuante attesa per la nascita di un nuovo leader ha generato rassegnazione. Il punto è che in Italia la sinistra è un po' come la carbonara, ognuno pensa di essere il depositario della ricetta originale. E così mentre loro si divertono a sfornare partiti, correnti e gruppi parlamentari, a me è venuta la nausea. Ogni tanto però sento ancora il bisogno di una discussione appassionata, di ritrovare i toni vibranti e la scintilla interiore del vecchio presidente, ed è per questo che vado in cerca dei giovani, quelli di primo pelo, ingenui ed esuberanti come un vecchio partigiano.

«Andiamo a trovare i pipparoli?» chiedo a Filippo.

Due chiacchiere con i giovani comunisti le facciamo sempre volentieri. Studiano Marx, leggono Togliatti e pensano di impressionarci. Ci chiedono com'erano Gramsci, Berlinguer e Capanna, e noi improvvisiamo. Su Gramsci do il meglio, ne invento di cotte e di crude perché, benedetti ragazzi, quando è morto avevo dodici anni e la mia unica preoccupazione era racimolare i soldi per comprarmi una bicicletta, però se proprio non volete saperne di farvi due conti, allora eccovi bello e servito l'aneddoto sul compagno Antonio che chiede al compagno Angelo di correggergli le bozze del suo discorso alla Camera. Hanno in testa il cliché del vecchio comunista che ce l'ha a morte con i padroni e con i preti e, per pura cortesia, cerco di non deluderli. Di solito arrivo, saluto gli astanti con un bel bestemmione e mi pongo col piglio fastidioso di chi ne ha viste tante e ha vissuto in tempi in cui si sapeva come fare. Cosa? Qualunque cosa.

La vecchia sede del partito comunista locale ha cambiato di nuovo denominazione. Negli ultimi anni targhe e insegne sono state sostituite quasi annualmente. Ora i ragazzi che animano la sezione hanno deciso di non buttare più i soldi e al posto delle insegne hanno dipinto sulla serranda il volto del Che. Almeno quello, sono sicuri che non passa di moda.

«Come va? Quanti tesserati avete perso questa settimana?» chiedo entrando nelle sede.

«Veramente s'era sparsa la notizia che non sareste più passati a rompere le palle e abbiamo avuto un incremento del trenta percento» mi risponde Bruno.

Bruno è il caposezione, un ventisettenne gracile, con i capelli ribelli che coprono a fatica due belle orecchie a sventola. Non è il nostro preferito, speravamo in Federico e Lorenzo, molto più giovani, idealisti e facili da coglionare. Bruno al contrario ha l'approccio burbero.

«Invece di venire qui a sfottere, perché ogni tanto non fate qualcosa di utile? Domenica c'è la manifestazione per il popolo birmano» dice.

Ci molla in mano un volantino ciascuno.

«La solita manifestazione? Ragazze coi palloncini colorati e tanti giocolieri?» sminuisco.

«Oddio, ancora con la nostalgia della P38 e delle molotov! Sarà una grande manifestazione popolare, con vecchi e bambini. Il tentativo di cambiare il mondo a pistolettate l'hanno già fatto, ora proviamo qualcosa di nuovo, no?».

«Uuuh, guarda che carucci... il circo della sinistra è di nuovo sceso in piazza...» commento con voce stridula.

«Non dicono così! Ci applaudono e si uniscono al corteo. Oggi alle manifestazioni vengono le famiglie al completo, non come ai tempi vostri, quando si vedevano solo uomini col passamontagna!».

Ma quali tempi nostri, noi negli anni di piombo eravamo già vecchi. Avevamo fatto un ottimo lavoro, liberando l'Italia e rimettendola nelle mani degli italiani, poi non so cosa sia successo, dobbiamo esserci distratti per qualche decennio. All'improvviso si sono sentiti spari e bombe, dopo un po' è partita la sigla di *Drive In*, un magistrato con seri problemi di dizione s'è incazzato con i politici e ci siamo ritrovati qui, nelle mani di un vecchio che racconta barzellette sporche.

«Dài, se ne azzecchi tre prometto che ci facciamo un salto» gli propongo.

Bruno sorride, si sfila gli occhiali e inizia a pulirli con un lembo della camicia.

«Spara...» dice mentre alita sulle lenti.

Filippo si mette comodo su una sedia per godersi meglio il duello.

«*La questione morale esiste da tempo, ma ormai essa è diventata la questione politica prima ed essenziale perché dalla sua soluzione dipende la ripresa di fiducia nelle istituzioni...*».

«*...la effettiva governabilità del Paese e la tenuta del regime democratico*. Elementare. Berlinguer» dice Bruno con espressione saccente.

«*I comunisti, i socialisti, prevedono, desiderano e auspicano la partecipazione...*».

«*...la militanza e la presenza democratica...*» continua lui quasi annoiato. «È Occhetto. Un po' da bastardi come citazione, ma visto il soggetto non mi stupisce».

Rispondo al suo sorriso di sfida facendo finta di pensare a qualcosa che in realtà ho già pronto da ieri sera.

«*Abbiamo impedito la frattura irrimediabile, la lacerazione fra ceti medi e popolari e abbiamo consolidato nel Paese, in termini di fiducia e di impegno popolare, la prospettiva democratica*».

Bruno si massaggia il mento, cerca un aiutino da Filippo, poi vaga con lo sguardo al soffitto perché vuole darmi a intendere che la risposta la sa, ma ora proprio non gli viene in mente. Finalmente s'illumina.

«Lacerazione... ceti medi e popolari... non può che essere Prodi!».

«Ottimo!» dico a Filippo. «I giocolieri ce li siamo risparmiati anche stavolta!».

Sorridiamo a Bruno, che ora invece non ride più, e ci congediamo.

«Oh, dove andate? Chi era? Mica vale così, chi era?».

Ce ne andiamo scuotendo la testa, con l'espressione esterrefatta.

«Non era Prodi?» mi bisbiglia Filippo.

«Arnaldo Forlani, millenovecentosettantadue, discorso alla Camera durante il secondo mandato Andreotti».

23.

Di ritorno dalla nostra spedizione mattutina sulla corsia preferenziale Filippo, che in due ore avrà aperto bocca sì e no due volte, all'improvviso si dà una manata sulla coscia e si ricorda di tirare fuori dalla tasca un pezzo di carta che voleva mostrarmi. È un bollettino.

«Leggi qui...» mi dice.

«Gli amici del libro? Settantacinque euro? Ma a cosa ti sei iscritto stavolta?» chiedo.

Filippo è troppo buono. Una persona sempre cortese e disponibile. La vittima prediletta dei venditori telefonici e di quelli porta a porta.

«Ma niente, giuro, niente. Non ricordo di aver parlato con nessuno e di sicuro non ho detto di sì a nessun abbonamento!».

Quest'anno ha già comprato un materasso, un elettrostimolatore per gli addominali e un purificatore per l'acqua. Senza che ne sapesse mai nulla, ovviamente.

«Ti rendi conto che questi ti fregano? Devi piantarla di rispondere alle telefonate, te l'ho detto. Se ti chiama uno di noi prima fa uno squillo!».

I parenti e gli amici lo sanno, non c'è più un anziano in tutto il quartiere che risponda al telefono senza aver ricevuto prima uno squillo di avvertimento. Persino il più ottimista si è arreso all'idea che tanto dalle otto alle venti chi ti chiama non è il figlio che vuole sapere se hai dormito bene, il nipote che vuole passare a pranzo o il vecchio compagno di scuola che ha trovato il tuo nome sull'elenco. Sono solo i cacciatori di contratti delle compagnie telefoniche e gli elargitori di premi finti.

«Ma quando me l'hai detto dello squillo? *Ora* me lo stai dicendo!» si lamenta Filippo.

«Seee, vabbè...».

Come al solito faremo scrivere una lettera dall'avvocato e risolveremo la questione. L'"avvocato" è in realtà un geometra, il geometra Pasquarelli, un frequentatore di lungo corso del centro che si è inventato questa preziosa attività dopo aver ricevuto un paio di fregature. Munito di computer e stampante, produce delle carte intestate fasulle di studi legali, dislocati in punti prestigiosi della città. L'ultimo era lo Studio Capone e Associati, viale Mazzini centododici. "Capone" perché sosteneva che il nome dovesse in qualche modo intimidire; "Associati" perché il numero fa scena; "viale Mazzini" perché da quelle parti c'è il cinquanta percento degli avvocati della città; e "centododici" per chiudere con una velata allusione alle forze dell'ordine. Per la modica cifra di cinque euro più spese di spedizione a mezzo raccomandata, il geometra Pasquarelli compone meravigliose lettere di diffida in perfetto stile avvocatese, educate e minacciose al tempo stesso, che in quindici anni di attività hanno sempre funzionato. Nei casi più difficili allega alla lettera una perizia psichiatrica che attesta l'incapacità d'intendere e di volere della vittima del raggiro. Di questa lettera si occupa il "dottore", ovvero il dottor Arturo Ramantini, come recita la sua vera carta intestata, che però non specifica il ramo di specializzazione: dottore commercialista.

In fregature del genere ci siamo caduti tutti. Subito dopo la pensione mi sono fatto allettare da un annuncio pubblicitario che proponeva un facile guadagno lavorando da casa. Si trattava di riprodurre delle stampe piuttosto elementari che sarebbero state pagate tremila lire al pezzo a fronte di un investimento iniziale di diecimila lire per l'acquisto di un kit di acquerelli. Ho sempre dipinto per hobby: piccole cose, tipo quadretti per decorare la casa, e l'idea di mantenermi in attività e mettere da parte un extra non mi dispiaceva. Arriva il kit e la stampa da riprodurre, una semplice natura morta floreale. In due settimane, lavorando un paio d'ore al giorno, ne faccio dieci copie e le spedisco alla ditta. Trentamila lire per un hobby non sono male, così penso subito al primo acquisto: una radio nuova con una bella antenna, di quelle che non devi smanettare mezz'ora prima di riuscire a sintonizzarti su una stazione, e abbastanza piccola da poterla portare con me al parco. Dopo una settimana mi arriva una lettera dalla ditta: "Il materiale da lei inviato è stato scartato, mancando i requisiti minimi di fedeltà nella riproduzione". Penso che forse ho preso sottogamba il lavoro, è ovvio che nessuno regala il denaro e quelle trentamila lire evidentemente me le devo sudare di più. Realizzo altre dieci copie, mettendoci più impegno, lavorando anche la domenica. Le spedisco, e in attesa della risposta mi trastullo intorno al negozio di elettrodomestici. C'è una radio che fa proprio al caso mio, è grande quanto un libro, ha un'antenna bella lunga e il commesso mi assicura che la ricezione è perfetta. Già m'immagino seduto al bar in compagnia del radiogiornale o al parco con della buona musica. Con la seconda lettera di rifiuto in pugno arrivo a piazza Navona e consegno l'originale della natura morta a una giovane ritrattista. In meno di mezz'ora confeziona una copia perfetta nei dettagli. Mi costa cinquemila lire ma almeno mi dirà una volta per tutte se quelli mi stanno fregando o no. E certo che mi stavano fregando. La terza lettera di rifiuto l'ho incorniciata e tenuta in bagno per un anno. Perché ogni mattina dovevo alzarmi e come prima cosa ricordarmi di essere un idiota.

Quindi adesso ridiamo, ma ci siamo caduti tutti in questi tranelli studiati apposta per casalinghe annoiate e vecchi soli. Anche Ettore che fa tanto il superiore. Un giorno s'è presentato al centro con un giubbotto di pelle nera. «Non vi ricordo nessuno?» ci ha chiesto. Alludeva a Marlon Brando in *Fronte del porto*, ma il riferimento era impossibile da cogliere visto che il giubbotto era di foggia completamente diversa, con un'orribile chiusura lampo e una finta pelle così lucida da sembrare quello che era, vera plastica. Il giorno dopo si è presentato con un giubbotto identico ma di colore rosso, e quello dopo ancora con uno cachi. «Ma quanti ne hai comprati?» gli ho chiesto, e lui: «Un affare, un mio amico sta chiudendo l'attività e me li ha praticamente regalati». Mai mentire a dei vecchi insonni. La balla è saltata fuori alle due di notte, quando in tv ho visto un tizio che agitava il giubbotto di pelle di Ettore davanti alla telecamera prendendosela con la regia che aveva sbagliato il prezzo in sovrimpressione: «Come ottanta euro! Il prezzo è ottocento!» urlava come un pazzo. «Tre giubbotti di pelle modello Brando a ottocento euro sono un regalo e voi scrivete *ottanta*!». La pantomima è continuata per un bel pezzo, poi, con un gesto di stizza, il venditore si è posizionato gagliardamente davanti alla telecamera e ha annunciato: «Io il mio pubblico non lo frego... signori, grazie alla generosità della regia, questa partita di giubbotti la regaliamo a ottanta euro!». Assistere a questa ignobile sceneggiata e immaginarsi Ettore che corre al telefono per approfittare del finto errore è stato un momento sublime.

Aspettavo l'occasione giusta per sbugiardarlo, poi però c'è stato l'episodio della grigliata, passato alla storia col nome di "Vampata del Venticinque". Come tutti gli anni, nell'anniversario della Liberazione abbiamo organizzato una grigliata, una bella occasione per celebrare la ricorrenza e per far entrare qualche euro nelle perennemente esauste casse del centro. Ettore, che ovviamente indossava il suo giubbotto di vera plastica alla Marlon, ha cominciato ad armeggiare con il barbecue, perché ogni vecchio ha qualcosa che sa fare meglio di chiunque altro al mondo e il suo "qualcosa" è la carne alla brace. Ero seduto con Osvaldo e Filippo a un tavolo distante un paio di metri dal barbecue, posto di privilegio che avevamo conquistato arrivando con due ore d'anticipo e mantenuto restando seduti per tutto il tempo. Mentre parlavo con loro ho visto Ettore pinzare una braciola per rigirarla sulla brace: un attimo dopo le gocce di grasso hanno dato vita a una lingua di fuoco che ha lambito una manica del giubbotto. Neanche fosse stata cosparsa di benzina, la manica si è accesa istantaneamente. Ettore ha iniziato a darsi delle gran manate, con l'unico risultato di propagare le fiamme alla schiena. Tra urla di donne e pianti di bambini, gli abbiamo lanciato addosso bicchierate di aranciata e chinotto. «La brocca del vino!» ha urlato qualcuno, ma nessuno si è azzardato a toccarla. Ce n'erano solo sei per trenta persone.

Ridiamo tutti di queste ingenuità, ma basta fare un salto nelle nostre case per trovare il set di coltelli che tagliano anche le scarpe, lo sminuzzatore di verdure, la scopa con le setole rotanti, e per capire quanto siamo disposti a spendere per un po' di compagnia notturna.

24.

LA MAGGIOR PARTE DEGLI ITALIANI VORREBBE ESSERE COME ME E CONDIVIDE I MIEI COMPORTAMENTI.

Avevamo pronta una recita tutta nuova. Io avrei interpretato Giacometti, il compagnuccio delle elementari, perché ormai mi sono affezionato al personaggio, mentre Filippo e Lauretta, che si è presentata con una busta piena di occhiali da sole d'epoca, erano pronti a spacciarsi per Franco Gasparri e Jean Marie Carletto, ex divi dei fotoromanzi. Magari quei nomi non avrebbero detto nulla al signor Emilio ma magari sì, e vista l'assenza dei parenti una visita vip se la meritava tutta. E invece niente, il simpatico vecchietto se n'è andato solo come un cane, come ci ha detto la caporeparto, senza rendersi conto di nulla. La demenza è una sorta di sedativo naturale, l'ultimo atto di pietà della vita nei tuoi confronti. Ti viene consegnato il potere di prenderti gioco della morte, lei arriva e tu neanche te ne accorgi perché sei spaesato, perché magari sei convinto di essere in vacanza in una colonia estiva, e la tua unica preoccupazione è capire il motivo per cui ti costringono a rimanere a letto mentre i tuoi amichetti se la stanno spassando al mare.

Abbiamo cercato di avere informazioni sui funerali ma nessuno ha saputo dirci nulla e così ci lasciamo riportare a casa dall'autobus. Lauretta sospira, noi ci accodiamo senza aggiungere parole perché tanto il messaggio è già chiaro. Nell'autobus mezzo vuoto c'è una coppietta di quindicenni. I ragazzi si tengono la mano e l'occhio mi cade su quella di Lauretta. Ti dispiace se ti prendo la mano? Almeno una volta, prima di fare la fine di Emilio. Ecco, potrei dirle così. Certo, se fossi un altro, se fossi come il ragionier Paolini, potrei eccome. Ma sono Angelo, e allora mi limito a guardare i ragazzi, a guardare Lauretta e a fantasticare. Adesso si baciano, respirano la stessa aria, la purificano mulinando le lingue e lentamente sento svanire l'odore di muffa e di naftalina che mi porto dentro.

«Perché non le fate a casa vostra 'ste cose?» dice un vecchio sgarbatamente.

I ragazzi sussultano, si guardano imbarazzati e si siedono composti. Stiamo scherzando?

«Senta, vecchio coglione, perché non se ne va lei a casa se le danno tanto fastidio?» gli urlo.

I ragazzi si voltano verso di me increduli. Lauretta anche. Filippo se la ride.

«Ce l'ha con...».

«Certo che ce l'ho con lei! Cos'è, le dà fastidio che ci sia un po' di vita intorno a lei? Non la sente la puzza di muffa e di naftalina, eeeh?». Non sapendo come continuare mi alzo minacciosamente.

«Angelo...» sussurra Lauretta e cerca di tirarmi per la giacca.

Il vecchio fa come tutti i vecchi quando la ramanzina non ha sortito l'effetto desiderato. Si volta dall'altra parte e inizia a brontolare.

«E voi ricominciate a baciarvi!» intimo ai ragazzi.

E quelli, a comando, così come avevano smesso ricominciano.

Arrivati al capolinea, che è proprio sulla piazza della Montagnola, raccolgo i complimenti del giovane autista e, impegnato come sono a pavoneggiarmi, lascio che sia Filippo a prendere sottobraccio Lauretta per aiutarla a scendere. Un chilo di pensiero e un grammo di azione: sono un insulto vivente alla memoria dei partigiani.

Attraversata la strada, schivati da un motociclista che considera i freni un accessorio da checche, ci accorgiamo che davanti alla chiesa c'è un carro funebre.

«*Aujourd'hui est un mauvais jour*» dice Lauretta.

«Eh?» chiede Filippo

«Oggi nun è proprio giornata...» traduce Lauretta.

«Vogliamo andare a vedere? Magari è il signor Emilio...» dico.

Il manifesto funebre attaccato con il nastro adesivo sul portone ci informa che è venuta a mancare all'affetto dei suoi cari la signora Rosa Masserani. Non la conosciamo ma entriamo lo stesso. Lo facciamo spesso quando c'è un funerale, diamo un'occhiata e se c'è poca gente entriamo per fare numero. Non ci siamo messi d'accordo, non che mi ricordi almeno, forse ci ha colpiti il fatto che alla funzione per Agostino, che pure ne aveva di parenti e di amici, c'erano solo la moglie e un paio di vecchie di passaggio. Un'immagine avvilente. Anche per quanto riguarda la signora Rosa l'affetto dei suoi cari non doveva essere un granché: ci sono solo sei persone, più noi tre che prendiamo posto in seconda fila.

Il pensiero è sempre lo stesso: "E al mio quante persone verranno?". Segue un breve calcolo mentale che nemmeno con le più ottimistiche previsioni riesco a far arrivare alle dieci unità. La cosa non dovrebbe interessarmi perché tanto sarò morto, ma è l'idea che il senso di solitudine mi accompagnerà fino alla fine che mi fa stare male, e anche l'idea di non sopravvivere nei ricordi delle persone. Ne verranno pochi, quei pochi sono vecchi, e se mi dice bene il mio ricordo sopravvivrà cinque o sei anni.

All'uscita esorcizziamo.

«Certo una che la mattina fa colazione col vermouth...» dice Filippo.

«Come lo sai?» chiede Lauretta.

«Bazzicava il bar di Enzo... si vedeva che non stava bene».

«Ma quanti anni aveva?».

«Un settantacinque direi... scarsi...».

Quando se ne va uno più giovane di te non ti senti fortunato, ti senti il prossimo.

«Certo er vermouth a colazione...» dice Lauretta.

«Ti ammazza» la consolo.

25.

Per un lungo periodo ho creduto che tra Filippo e Lauretta ci fosse del tenero. Lui è più bello di me, ha una faccia da attore, un modo di fare elegante. A malincuore ho dovuto ammettere che insieme farebbero davvero una bella coppia. E poi lui ci sa fare, nota tutti quei particolari a cui è umanamente impossibile prestare attenzione. Coglie un'impercettibile differenza nel riflesso dei capelli e dice: «Questa tinta è magnifica, rende giustizia alla luminosità del tuo viso»; nota una diversa messa in piega o anche un mezzo centimetro di frangetta in meno e: «Ti sei fatta i capelli, eh? Sei incantevole». E così via per il colore dei vestiti, l'accessorio insignificante o le scarpe. E quelle mica vomitano, no, quelle vecchie civette si sdilinquiscono. Che poi è facile, pensi, che ci vuole? E così sono andato da Lauretta e le ho detto: «Questa camicetta nuova ti sta d'incanto» e lei: «Per te è come si nun esistessi, eh? Ce l'ho da du' anni...». Quindi è inutile, non è facile per niente, è talento, e quella fottuta cosa o ce l'hai o non ce l'hai. Comunque Filippo è solo l'ultimo della lista, ho pensato la stessa cosa di Piero, di Franco, di Ruggero e del ragionier Paolini. Lauretta li attira come le mosche e non si sottrae mai al loro corteggiamento. «È espansiva», «È estroversa», mi dicono Osvaldo e Filippo per rincuorarmi. «È bella allegrotta, eh?» dice Ettore per provocarmi. E in effetti Lauretta è espansiva ed estroversa, parla con tutti, fa amicizia facilmente perché la sua spensieratezza è contagiosa, ha mille interessi e quindi non è difficile trovare un argomento di conversazione, segue i corsi di Internet, ha speso una giornata a scervellarsi sul suo cellulare perché voleva imparare a mandare i messaggi e d'accordo, non c'è riuscita, però è la voglia di imparare che la rende affascinante. Poi certo, è anche allegrotta. Si lascia tenere la mano, si lascia bisbigliare nell'orecchio e dispensa occhiate dolci praticamente a chiunque, sottoscritto escluso. Dovrei odiarla ma mi è impossibile, sono troppo vecchio per non riconoscere che l'origine del mio odio è l'invidia. Vorrei esserci io ora al posto del ragionier Paolini, sotto l'albero insieme a lei, a vederla ridere per un nonnulla perché il ragioniere lo conosco bene, la sua massima espressione di umorismo sono le rime in "azzo". Il suino si mostra interessato alle frange della kefiah bianca e rossa che Lauretta porta a mo' di scialle e io mi chiedo come lei possa tollerare un approccio così sciatto. Ride, si alza senza troppa fatica e accetta di nuovo la mano setolosa del ragioniere che le toglie un filo d'erba dall'orlo. La guardo mentre si avvicina, esibisco un'aria di sufficienza, l'espressione è quella di chi conosce il giochetto e non ne è minimamente turbato. Lei mi sorride con noncuranza, come se la mia fosse un'espressione qualsiasi.

«Lauretta, ti è rimasto qualcosa attaccato dietro...» le dico.

«Oddio, cosa? Erba?» mi chiede passandosi la mano sul vestito.

Le rispondo con un cenno e Lauretta si volta verso il ragioniere che ha gli occhi piantati sul suo sedere.

«Che tipo er ragioniere...» ridacchia divertita.

Ecco, io questo non lo accetto. Un maiale è un maiale, non un tipo! Passi fare gli allupati a vent'anni, quando si è drogati dagli ormoni, ma a ottanta suonati, con il ringalluzzimento chimico, no, è patetico. La seguo con lo sguardo mentre si allontana e mi rendo conto che c'è qualcosa che non va in me. Anch'io le sto guardando i fianchi, ma tutto ciò che riesco a pensare è che ondeggiano in modo scomposto, che la poverina deve avere di nuovo i dolori all'anca, che forse sono arrivato al capolinea se il mio primo pensiero è che le farei tanto volentieri dei massaggi con la canfora.

Lauretta è stata una moglie fedele e una madre esemplare, come dicono i vecchi del quartiere, si è sempre dedicata alla famiglia e per cinque anni dopo la morte del marito è stata praticamente inavvicinabile. Poi, all'improvviso, quando tutti i vecchi iniziano ad accoccolarsi in attesa di essere trasferiti nel monolocale di legno, lei ha cominciato ad agitarsi. Non mi dispiace che voglia riprendersi tutto ciò che le è sfuggito durante la sua vita fatta di nulla, al contrario, vorrei che decidesse di riprendersi molte più cose, sottoscritto compreso.

«Ok, mi faccio gli affari miei» mi dice Filippo all'improvviso.

«Eh?».

«Non ho voglia di parlare oggi».

«Ma chi t'ha detto niente!».

«No, infatti ero io che ti volevo dire che a Lauretta piaci. E tu: ma figurati. E io: si vede lontano un chilometro, solo che sei così timido che non mi meraviglierei se lei pensasse di esserti antipatica. E tu: antipatica? E io: sì perché la eviti e lei se ne accorge. Se fossi meno scemo le diresti come stanno le cose. E tu: perché non ti fai gli affari tuoi?».

Si crea un bel silenzio, che alimenta in me tutta una serie di considerazioni sulla vita, sull'amore e sul coraggio di rischiare di cui, in particolare, ho perso le tracce dal maggio del quarantacinque. Ne faccio piazza pulita con un bel sorriso alla signora Agata che risponde esponendo la dentiera nuova di zecca.

«Ma come si faaa...» dice Filippo voltandosi dall'altra parte con tutta la sedia.

26.

Non capita di rado che qualche anziano porti un nipotino al centro. Sono sempre i benvenuti perché abbassano l'età media e sanno come animare le nostre giornate. Il copione è ogni volta lo stesso: arrivano timidi, se ne stanno nascosti dietro le gambe del nonno o della nonna, ma dopo mezz'ora si trasformano in cavalli scossi del palio di Siena. Tranne Gregory. Lui la prima fase non l'ha mai presa in considerazione e generalmente si presenta tirando pugni nello stomaco. La prima vittima è stato il ragionier Paolini, che ovviamente aveva lo sguardo altrove e il cazzotto se l'è preso in pieno.

Gregory, si chiama proprio così, all'americana, è un figlio di mignotta e non per offenderlo, è una semplice constatazione. Ha sei anni ed è il nipotino di Vincenza; la mamma è del genere trentenne, capelli nero corvino, abbronzata anche a gennaio, sopracciglia ipotrofiche e tatuaggio sul sedere a mo' di cartello di benvenuto. E fin qui c'è solo materiale per le malelingue. Poi c'è la storia con quel consigliere comunale massaggiato a dovere nel di lei centro estetico per ottenere una licenza, un permesso invalidi per la macchina e il condono di una veranda che pare una baita di montagna. Questi naturalmente non sarebbero fatti nostri ma si sa, i vecchi sono tanto buoni e cari finché li tratti con cortesia e invece: «Se faccia l'affaracci sui! Gregory è vivace come tutti i bambini!» ha urlato acidamente a una signora che provava a spiegarle, con mille cautele, che il bambino ha delle esplosioni di violenza ingiustificata. Checché ne dica la madre, di normale Gregory non ha molto, se gli regali una macchinina ci gioca in modo canonico per cinque minuti, poi la prende e la scaglia con forza contro le persone, generalmente mirando alla testa. Se gli dici di piantarla ti risponde a parolacce, se cerchi di prenderlo con le buone semplicemente ti spernacchia. Questo bambino costituisce un'eccezione, è l'unico a non essere il benvenuto, l'unico a non creare nugoli di anziani pigolanti intorno a sé. Non è colpa sua, ci mancherebbe. Ciò non toglie che non sia nemmeno colpa nostra.

Il piccolo Gregory ha appena dato fuoco a una tovaglia di carta e con la benzodiazepina in circolo faccio l'errore di guardarlo male. Il bambino legge il mio sguardo come un invito a lanciarmi contro uno Stegosauro di gomma. Filippo se la ride ed estrae dalla tasca della giacca la sua fiaschetta di grappa.

«A te e al tuo nuovo amichetto!» mi dice.

«Amichetto un corno... dài qua!» e gli strappo di mano la fiaschetta.

Riempio un quarto del bicchiere con la grappa, poi con un gesto plateale stappo una lattina di Coca-Cola e la diluisco per bene.

«Mica sarai matto?» si preoccupa Filippo.

Il sibilo dello stappo attira l'attenzione di Gregory, che si avvicina di corsa. Naturalmente il bicchiere, come tutto ciò che esiste al mondo, gli appartiene.

«Non puoi berla, è Coca-Cola da grandi» gli dico.

«Nun esiste la Coca-Cola da grandi» mi risponde con lo sguardo incarognito.

«Tanto non ti piace… non riusciresti a berne nemmeno un sorso».

«Sì che ce riesco».

«Ma figurati, nessun bambino c'è mai riuscito…».

«Quanto ce scommetti?».

Il piccolo si attacca al bicchiere. Al primo sorso la gola si strozza ma di fronte ai nostri sorrisi s'impunta e ingurgita tutto per benino.

«Buona?» chiedo.

«Fa schifo».

Scappa via di corsa perché un avventore distratto ha avuto la malaugurata idea di aprire un sacchetto di patatine. C'è ancora un po' di parapiglia, un calcio al pallone contro il bancone del bar, il furto del bastone di Romolo, successivamente usato come spada laser per sparecchiare un tavolo, poi qualche urlo, e infine uno sbadiglio. Quindi il piccolo Gregory si siede sulla panchina vicino alla nonna e dice che è un po' stanco.

«Ah, bene, per un attimo ho temuto di dovergliela dare liscia» commento.

Gregory si addormenta con la testa sulle gambe della nonna, che sospira e gli accarezza i capelli.

«Ti sei stancato, eh? Povero tesoro, guarda com'è stanco» gli dice la vecchia.

«Siamo sicuri che si risveglia, sì?» mi chiede Filippo.

Gregory si risveglia dopo tre ore filate di sonno passate tra le amorevoli braccia della nonna, che è riuscita a godersi il nipote forse per la prima volta in vita sua. Esattamente quindici minuti dopo torna la madre. Arriva sorridente, ignara.

«Hai giocato? Te sei divertito?» chiede al bambino.

«Ha giocato tanto?» chiede in giro per sincerarsi neanche troppo velatamente che il piccolo ordigno sia stato disinnescato a dovere.

Sorridiamo alla mamma e al piccolo Gregory, bello riposato, che appare sempre più vispo. Li guardiamo mentre vanno via e, lieti che la donna stia per portarsi a casa un concentrato di energia misurabile in chilotoni, li salutiamo con la mano.

27.

IL LEGITTIMO IMPEDIMENTO ESISTE IN TUTTE LE DEMOCRAZIE.

Mi è arrivata una multa per una dichiarazione dei redditi sbagliata. Non ci sono informazioni sulla cartella esattoriale, così mi toccherà prendere l'autobus e andare all'ufficio delle imposte per chiedere spiegazioni. Ho trentotto di febbre e dolori alle ossa, ma non posso rimandare perché la lettera è rimasta mimetizzata tra i volantini pubblicitari per un bel pezzo e se non risolvo subito la questione ci sarà da pagare anche la mora. Mi faccio forza e per evitare giri a vuoto decido di passare prima da Ramantini, il commercialista. Gli mostro l'ingiunzione di pagamento, chiedo chiarimenti e me ne vado con in mano un mazzo di fotocopie con il quale potrò dimostrare l'esattezza e la puntualità dei miei pagamenti. Una deviazione di mezz'ora che spero mi permetterà di cavarmela con un viaggio solo, perché le file in quegli uffici sono massacranti, affrontarle due volte è un incubo che non voglio rivivere.

Arrivo, prendo il numeretto e non ci resto male quando scopro che ho sedici persone davanti. Me l'aspettavo. Mi metto sulla sedia di plastica, inganno il tempo sbirciando le notizie sul giornale della signora seduta accanto a me. Dopo dieci minuti mi fa male la schiena, dopo quindici mi formicolano le gambe.

Passeggio un po' e il moto mi stimola la vescica. Decido di non andare al bagno perché vedo che la fila scorre velocemente. Poi però iniziano i casi complicati, quelli che esistono in ogni fila e compaiono sempre all'ultimo, quando pensi sia fatta. Passa più di mezz'ora, la vescica ha raggiunto il limite di guardia e mi faccio indicare il bagno con l'intenzione di fare in fretta.

La prostata non fa sconti ma sono sicuro di non aver passato nella toilette più di cinque minuti, eppure quando esco stanno chiamando il numero dopo il mio. Dico all'impiegata che ho il numero novantasei, ricevo come risposta due grugniti, il suo e quello del signore a cui sto cercando di fregare il posto. Mostro la cartella, consegno le fotocopie e lei mi dice che le fotocopie non vanno bene, ci vogliono gli originali, le dico che non è possibile, che il commercialista mi ha detto che le copie sono più che sufficienti e, anche se mi pesa, aggiungo che sono vecchio, malato e non posso fare due viaggi.

«Non potrebbe telefonare lei al commercialista?» e mi parte un pugno sul bancone.

Un minuto dopo, anche se ho chiesto scusa a tutti, vengo accompagnato fuori dalla sicurezza.

Mi sento vecchio. La lampada del bagno è impietosa, mette in risalto ogni ruga, ogni macchia della pelle. Immagino che anche all'interno la situazione non sia diversa, che gli stessi solchi e le stesse macule siano anche sul cuore, sui polmoni e sui reni. Possibile che non ci sia nessuna comprensione per noi, che nessuno abbia trovato il tempo per varare delle leggi a nostra tutela? Una legge semplice: se hai davanti una persona che ha più di settantacinque anni, i documenti sei tu che devi andare a prenderli. Con una legge così voglio vedere quanto diventano indispensabili gli originali o se improvvisamente iniziano a bastare anche le fotocopie. Fai una richiesta di un'attestazione di invalidità e sei tu che devi fare su e giù per la città a racimolare certificati medici e a compilare moduli, è assurdo, dovrebbe bastare una telefonata e loro dovrebbero precipitarsi da te. A parte alle auto blu sulla corsia preferenziale, io cerco di non dare fastidio a nessuno, non esigo il posto sull'autobus né pretendo di saltare le file, però non lo accetto più: non si può vivere in un mondo che non si accorge di te. Ho combattuto perché volevo un Paese nel quale non regnasse la legge del più forte, ma evidentemente ho appeso le armi al chiodo prima che la guerra fosse finita. Pensavo di aver fatto un buon lavoro, che fosse arrivato il momento di riposarmi e di goderne i frutti. Mi sbagliavo, ma tornare a combattere non mi spaventa affatto.

Non ce l'ho con quell'impiegata, ce l'ho con chi non ha dato un senso al suo lavoro, con chi ha studiato le procedure e la formazione del personale senza tenere conto che se manca l'umanità anche un lavoro svolto secondo le regole è un lavoro fatto male. Ce l'ho con chi l'ha tenuta per decenni dentro scuole che insegnano a ripetere a memoria e con chi, quando era il tempo, ha perso fiducia nel valore pedagogico degli sganassoni.

Testamento V

Roma, 19 febbraio 2010.

Io, Angelo Di Ventura, nel pieno possesso delle mie facoltà fisiche e mentali, con la presente scrittura dispongo che la proprietà di tutte le mie sostanze venga suddivisa come segue: il quindici percento in parti uguali ai miei due nipoti, l'ottantacinque percento ai miei amici Filippo Baldi, Laura De Bernardinis, Ettore Pacini e Osvaldo Antonelli. Chiedo inoltre che dalla quota destinata ai miei nipoti venga prelevata la somma necessaria per la seguente azione dimostrativa: affitto di grosso camion e acquisto di carico di letame da scaricare nottetempo di fronte alla sede dell'esattoria comunale.

Nomino mio esecutore testamentario il signor Filippo Baldi.

28.

Osvaldo si presenta al centro con i sandali ai piedi, li porta senza calzini, la temperatura non è proibitiva ma le dita dei piedi hanno comunque un rossore innaturale. Con un cenno del capo indico a Filippo l'arrivo del nostro amico.

«Non dire nulla» gli bisbiglio.

Aspettiamo che Osvaldo si accomodi al tavolo e gli allunghiamo un foglio del giornale, niente di pregiato, la pagina degli spettacoli. Mi fingo interessato a un articolo di cronaca e lo leggo fino in fondo perché i tempi sono importanti. Sarà arrivato qui pensando: "Adesso quegli impiccioni mi chiederanno perché porto i sandali con questo freddo" e quindi è necessario attendere che, di fronte al nostro disinteresse, arrivi a chiedersi: "Be'? Non gliene frega a nessuno se porto i sandali con questo freddo?". Ripiego lentamente la mia porzione di giornale, sorseggio un po' di vino e mi stiracchio sulla sedia con fare annoiato.

«Cosa gli hai chiesto stavolta?» dico distrattamente.

«Sto ad aspetta' er conguaglio der gas...» mi risponde.

«Ah» dice Filippo, che mi fa da spalla.

«Si è sotto i cento euro porto i sandali pe' du' mesi» precisa.

Riscontrata l'equità dello scambio, annuiamo.

«Andiamo? Siamo già in ritardo...» ci dice Filippo.

«Prima finiamo la bottiglia, lo sai che Ettore rende meglio quando è incacchiato...» dico.

Avevamo perso tutti un po' di grinta ma dopo la disavventura con l'esattoria comunale ho chiamato a raccolta gli amici e abbiamo messo allo studio un nuovo piano. L'appuntamento è a casa di Ettore, a cui ho lasciato volentieri il comando dell'operazione. Per queste cose lui è inflessibile: se l'appuntamento è alle tre, alle quindici e zero zero si pianta davanti alla porta in attesa del suono del campanello. A essere puntuali però gli daremmo un dispiacere, perché un sergente resta sergente per tutta la vita e ciò che adora di più è fare un bel cazziatone alle sue reclute. A ogni vecchio piace comandare, ma per Ettore è una malattia. Tutto deve essere inquadrato e disciplinato. Quando hanno fatto l'errore di nominarlo amministratore del condominio faceva l'appello completo dei ventiquattro condomini anche se alla riunione si erano presentati solo in tre. Se trovava un mozzicone di sigaretta nel cortile svolgeva accurate indagini interrogando gli inquilini e facendo riscontri con il tabaccaio. Quando si rompe il semaforo della piazza Ettore s'improvvisa vigile e lascia biglietti con richiami ufficiali sul parabrezza delle auto parcheggiate male. Dentro un cassetto conservo ancora un avviso con un nostalgico lapsus: "Si ricorda ai Sig.ri Condomini che il portone della caserma deve restare chiuso". Non credo rimpianga davvero la vita militare, non ne parla quasi mai, forse adora il comando perché gli dà la sensazione che qualcosa, ogni tanto, vada come dice lui. Noi lo lasciamo fare perché l'alternativa la conosciamo benissimo. L'alternativa sono i vecchi rassegnati che passano la giornata a brontolare, quelli che se ne stanno immobili di guardia come agenti della Stasi a prendere nota mentalmente del malcostume dilagante e a redigere rapporti fatti di occhiatacce, sospiri e mugugni. Molto meglio Ettore, che se deve dire qualcosa la dice a voce alta, che a modo suo è un romantico ed è ancora convinto che ci sia sempre una causa per la quale valga la pena lottare.

Saliamo a piedi, tanto per perdere qualche altro minuto. Ettore ci aspetta sul pianerottolo, impettito, mani sui fianchi e minaccioso ondeggiamento sulla punta dei piedi.

«E Osvaldo?» chiede a me e Filippo, che siamo i primi a spuntare dalla rampa di scale.

«Si sarà mica tappato un'altra volta?» urla.

«Ecchime!» rantola Osvaldo dietro di noi.

Filippo e io entriamo in casa sfilando davanti al suo sguardo di fuoco. Quasi dieci minuti di ritardo quando è stata convocata una riunione operativa è un affronto, è indice di scarsa dedizione alla causa.

«Ce l'hai fatta!» dice a Osvaldo.

«Eh, ringraziando il Signore».

«Porca vacca, Osvaldo, puzzi come una distilleria» osserva Ettore.

Osvaldo mette la mano a concolina e testa il bouquet dell'alito un paio di volte. Pare critico sull'affermazione dell'amico.

«Hai le informazioni?» gli chiede Ettore spazientito.

«Ringraziando il Signore...».

Ringraziando il Signore in un modo che dispiacerebbe a don Sebastiano, Ettore entra in casa come una furia. Ci trasferiamo intorno al tavolo, ognuno con i risultati del compito assegnato scritti su un foglietto. L'atmosfera da riunione operativa si riconosce subito: silenzio, volti severi e camminata nervosa di Ettore. A giudicare dalle facce non si direbbe che ci stiamo divertendo poi tanto, ma è come quando i bambini giocano a fare i supereroi, mica ridono, no, si calano nella parte e assumono l'espressione feroce e battagliera del guerriero di turno. Qui le cose non vanno diversamente, assumere l'espressione da combattente clandestino è fondamentale, sennò il gioco non riesce.

«Bene, cominciamo» dice Ettore.

«E le serrande?» chiede Osvaldo.

«Giusto! Che, siamo matti...».

Ovviamente non c'è nessun motivo per abbassare le serrande, primo perché solo nelle comiche si vedono i poliziotti ficcanasare dalle finestre, e secondo perché Ettore abita al terzo piano. Però c'è poco da fare, anche l'atmosfera è fondamentale per il divertimento.

«Allora, er posto ponte sur traghetto pe' quattro persone, andata e ritorno, fa duecentosessanta euri. Cinquecentoventimila lire» dice Osvaldo leggendo dal suo foglietto.

«Bastano i biglietti di sola andata» drammatizza Ettore.

Nessuno replica.

«Corso intensivo di acquascooter cento euro a persona» dico.

«Il piano B?» chiede Ettore.

«Almeno due pedalò stazionano sulla spiaggia a un paio di miglia di distanza».

«Correnti?».

«Contrarie».

Niente piano B, decidiamo di continuare con quello A. Con un po' di sacrifici si acquisterà il pacchetto corso intensivo più noleggio.

«Affitto miniappartamento per dieci giorni?» chiede Ettore.

«Li affittano solo a settimana, tremila euro...» dice Filippo.

«Cosa? Ma sarà trecento!».

«Lo stesso che ho detto io, ma la signora ha ribadito tremila. Tre zeri».

«Ma insomma! Ma che Paese è diventato? E che, adesso anche le azioni partigiane sono appannaggio dei ricchi?».

La tensione di Ettore mi agita e insisto per richiamare personalmente la signora. Trattandosi di interurbana lo faccio subito per approfittare del suo telefono. Parto sereno e composto ma quando sotto la mia insistenza la signora se ne esce con un: «Non è un posto per tutti questo» le urlo che è una ladra e mi trattengo per un pelo dall'urlarle: "Ha da veni' Baffone!", optando per una più aggiornata minaccia di denuncia all'associazione consumatori. Poi chiedo scusa e attacco.

L'operazione "Incursione marittima a Villa Certosa", nome in codice "Teseo Tesei", viene sospesa per evidenti difficoltà logistiche.

29.

Visto che la condizione atletica ci ha portato a scartare buona parte dei nostri brillantissimi piani, decidiamo di metterci sotto per ritrovare un po' di smalto. L'appuntamento è alle sei di mattina al parco sulla Cristoforo Colombo, in tuta.

In quattro non ne mettiamo insieme una. Osvaldo si presenta con una maglia della salute a maniche lunghe, i pantaloni del pigiama e, con deroga momentanea al fioretto, un paio di mocassini; Filippo indossa una maglietta della Roma dell'ottantadue con autografo finto di Falcao, bermuda e mocassini; Ettore esibisce pantaloni da tennis lunghi anni Quaranta, maglietta verde dell'esercito e mocassini. Io li raggiungo con una camicia sportiva a maniche corte, pantaloncini da ciclista e mocassini.

«Ma come te sei vestito?...» mi chiede Osvaldo.

«Vuoi fare ginnastica in camicia? E dài!» sbotta Ettore.

I battibecchi tra vecchi sono una cosa deprimente, passiamo venti minuti a rimproverarci lo scarso impegno che abbiamo messo nella scelta dell'abbigliamento. Osvaldo non ne vuole sapere di ammettere che quelli sono i pantaloni del pigiama e io devo mettermi a urlare per ricordare a tutti che il corpo di spedizione italiano in Africa non marciava con le maglie della salute ma con la camicia a maniche corte. Alla disputa seguono una serie di mugugni e cinque minuti di broncio silenzioso. Alla fine decidiamo che «Vabbè va'!», per oggi può andare così ma dalla prossima volta ci procureremo tutti delle vere tute.

«Come primo giorno direi attività leggera, iniziamo con una quindicina di minuti di camminata a passo svelto per scaldarci» dice Ettore spegnendo a terra la sigaretta.

Partiamo su due colonne, con Ettore e Filippo in testa. Falcata breve e apertura ritmica degli arti superiori, alla moda della ginnastica fascista. Osvaldo agita il bastone come un mazziere in parata.

«Occhio alla respirazione... naso dentro... bocca fuori...» suggerisce Ettore.

Il suo ritmico fischio bronchiale ci dà la cadenza.

Il parco è deserto, procediamo indisturbati incrociando solo un ragazzo che porta a spasso il cane di prima mattina sperando di farla franca.

«Giovanotto! Lo vogliamo far diventare un campo minato 'sto prato?» gli urla Ettore.

So che non dovrei farlo, ma inizio subito a guardare l'orologio. Sono passati appena quattro minuti e mi fanno già male i piedi. Colpa dei calzini di nylon, ci vorrebbero quelli di cotone. Non sarò certo io il primo a mollare, chi li sente poi quelli. Filippo sta andando alla grande, ha un bel passo, non sembra per nulla affaticato. Ettore non lo vedo in faccia, dalla frequenza del fischio posso solo dedurre che sia in affanno. Osvaldo ha iniziato ad aiutarsi col bastone nella camminata e sta diventando paonazzo. Mi sforzo di ignorare il dolore all'anca, poi quello alle ginocchia. Lancio un'altra occhiata all'orologio solo quando inizio ad avvertire un intorpidimento al braccio sinistro. Sette minuti, maledizione.

«Okay, stop!» ordina Ettore.

Nessuno si azzarda a dissentire.

«Fatto...» ansima, «ora ci sciogliamo un po' i muscoli».

Ce li sciogliamo seduti su una panchina. Prima mantenendo un briciolo di compostezza, poi indecorosamente stravaccati.

«Ma lo sapete? Mi sono volati, 'sti quindici minuti...» dichiara Filippo.

«E ora che facciamo?» chiedo.

Ettore ha lo sguardo atterrito. Una donna che attraversa la strada a trecento metri di distanza gli dà un aiuto insperato.

«Comincia a esserci troppa gente in giro... per oggi basta».

30.

PERCHÉ DOVREMMO PAGARE GLI SCIENZIATI SE FACCIAMO LE PIÙ BELLE SCARPE DEL MONDO?

Manu si veste in modo impeccabile, estremamente curato, ma quando viene a trovare il nonno al centro anziani sceglie sempre un abbigliamento dalla funzione mimetica. Oggi arriva con scarponi da lavoro, camicia virilmente trasandata e jeans. Un po' troppo aderenti sulle chiappe ma vabbè, dettagli.

«Ciao nonnino, ciao zietti!».

Ci bacia a turno sulla guancia e in un attimo il tavolo è avvolto da quel profumo speziato che tanto piace a Fernanda.

«Manu ha una cosa da dirvi...» annuncia Filippo.

«Ho trovato lavoro» dice Manu trionfante.

Finalmente! Manu è un mezzo genio: laureato con il massimo dei voti, ha ben sei pubblicazioni e un contratto a termine da ricercatore. Meritava proprio di sistemarsi.

«Oooh, ma lo vedi che anche in questo schifo di Paese prima o poi i meriti vengono riconosciuti!» dice Ettore.

«Eh, magari zietto, vado a Boston...».

«Per la miseria, fino in Inghilterra devi andare?».

Povero Filippo, penso. L'unico conforto della sua vecchiaia sta per partirsene armi e bagagli per il nord Europa.

«No zietto, l'altra Boston... quella negli Stati Uniti».

Manu ha sempre avuto un delizioso modo di fare, non mortifica mai la nostra ignoranza.

«Insomma ci lasci» dico.

«Non mi va per niente ma capisci, guadagnerò quattro volte di più e potrò fare ricerca sul serio, senza la paura che dopo sei mesi mi mandino via o taglino i fondi».

«Bravo, fai bene! Vai tranquillo, che tanto a tuo nonno ci pensiamo noi» lo rassicuro.

In questo caso specifico non c'è tanto da rammaricarsi per la fuga di un cervello, quanto per quella di un cuore. Con un nipote così Filippo avrebbe potuto campare cent'anni e anche a noi, c'è da giurarlo, le sue visite qualche annetto in più l'avrebbero regalato.

«Fernanda! Portaci una bottiglia che dobbiamo festeggiare!» urla Ettore.

«Che te se so' scaricate le pile del pacemaker?».

Mi mancano i tempi in cui potevamo fare le nostre brave ramanzine ai ragazzi. Tutto un patrimonio di battute sulla bella vita, sull'essere viziati, sul non sapere cosa vogliano dire la fame e la guerra giace inutilizzato ormai da qualche anno. Purtroppo i casi di giovani brillanti costretti a fare una vitaccia non sono più un'eccezione. Si laureano, trovano a stento uno stage e poi restano incastrati per anni in un dedalo di contrattini sottopagati che li costringono a trovarsi un secondo lavoro nei weekend, e tutto per mantenersi uno schifo di stanza insieme ad altri due inquilini. Ci sono laureati che arrivano così fino ai trentacinque anni, ai tempi nostri era impensabile. Di fronte a questa emergenza sociale noi vecchi, incredibile, stiamo facendo la parte dei privilegiati. Nessuno si occupa più dei nostri problemi e dei disservizi che ci obbligano a una vita d'inferno, perché noi almeno uno straccio di pensione ce l'abbiamo, cosa vogliamo di più? Non ho la delega a parlare a nome degli altri, per quello che mi riguarda vorrei ricordare che sono ancora vivo, che non ho nessuna fretta di togliere il disturbo e soprattutto che mi sento ancora utile alla società. Il mio sogno è parlare ai giovani, sono testimone di ottant'anni anni di storia, varranno pure a qualcosa le mie parole, no? Dovrebbe essere lo stato a chiedermelo, non io a sognarlo. Intanto, in attesa di una convocazione, mi sfogo con Filippo che non apre bocca da un'ora e sorride da solo in modo irritante.

«Te l'ho mai raccontata la storia del partigiano Berti?».

«Non mi pare».

«Quello che voleva scappare dai rastrellamenti vestito da donna ma dimenticò di tagliarsi i baffi».

«No, racconta, pare divertente!» mi dice.

«Sì, molto. L'hanno beccato subito e impiccato nella piazza del suo paese».

31.

Osservo Lauretta intenta a seguire la lezione del corso di Internet. Avrei voluto iscrivermi anch'io ma è più forte di me, i computer li odio. Mi hanno mandato in pensione, hanno estinto la mia professione e soprattutto mi hanno insegnato che la battaglia più idiota che si possa combattere è quella contro la tecnologia. Il più veloce, il più economico e il più efficiente nella nostra società vincono sempre. La linotype aveva un senso, digitavo le lettere sulla tastiera e dal piombo fuso, magicamente, uscivano fuori file di caratteri solidi, pronti per la stampa. Era uno strumento da favola, una macchina da scrivere collegata a una fonderia in miniatura. Saperla usare, avere l'esperienza per ovviare ai piccoli inconvenienti e mantenere efficiente quel marchingegno così misterioso mi rendevano parte importante di un processo creativo, non un mero esecutore. Il primo computer arrivò nel novantatré. Stava su un tavolo, mentre la mia prodigiosa minifonderia era alta due metri e larga uno e mezzo. «Facciamo solo una prova» mi disse in modo rassicurante il mio capo, ma io non ero affatto tranquillo, perché la stessa prova l'avevano già fatta in molte altre tipografie e le linotype erano finite tutte in cantina. Invece andò bene, quel computer perdeva i dati, era sensibile agli sbalzi di corrente e dopo pochi mesi fu imballato e rivenduto. Lavorai tranquillo per un altro paio d'anni, poi arrivò un nuovo modello, molto più efficiente. Riuscivo a tenere il suo passo solo lavorando quattordici ore al giorno. Dopo un anno di faticosa convivenza il capo mi disse che la linotype era diventata troppo ingombrante, che la cappa aspirante, obbligatoria per legge, era un costo aggiuntivo che non poteva più sostenere. Lo convinsi a farmi lavorare nel seminterrato, da solo, senza cappa. Accettò malvolentieri e così mi ritrovai in una stanza di otto metri quadri a lavorare tra i vapori del piombo fuso, cercando di ritardare il più possibile il momento nel quale mi avrebbero detto che non servivo più.

Non sono mai stato il tipo che stringe la mano al nemico, e così niente corso di computer. Mi limito a osservare Lauretta da lontano, masticando amaro per l'asfissiante presenza di Ruggero accanto a lei. Ho messo su l'espressione vivamente sorpresa, poi quella intensamente irritata e infine quella incazzata nera, ma Lauretta ha continuato a lanciarmi solo occhiate distratte. Appena la prostata costringe Ruggero a mollare la posizione mi alzo e vado a sedermi accanto a lei. Non ci voleva certo un medium per interpretare il mio umore, eppure Lauretta mi accoglie con un sorriso noncurante. Vuole fare la parte di quella che cade dalle nuvole? Bene, io allora mi esibirò nella perfetta interpretazione dell'amico disinteressato.

«Ti dà fastidio quello lì?» le chiedo sottovoce.

«Ma chi, Ruggero? Perché me dovrebbe da' fastidio?».

«Che ne so, magari ti dà fastidio che ti stia sempre così intorno… che ti tocchi in ogni occasione…».

«Ma quando m'ha toccato?».

«Eh, tipo quando ti ha portato il bicchiere d'acqua e te l'ha dato in mano… l'ha fatto per sfiorarti le dita sennò il bicchiere lo lasciava sul tavolo, no?».

«Come hai fatto a vederlo? Io manco me ne so' accorta…».

Nooo, mica se n'è accorta lei! A vent'anni o a settanta suonati le donne si comportano sempre allo stesso modo. Pensano che siamo scemi, che ci facciamo incantare da quello sguardo ingenuamente allibito. Uno spera che arrivati a una certa età si possa avere un rapporto franco, invece no, niente, tocca abbassarsi alla solita commedia. E sia.

«Eh, li conosco i tipi come lui… niente di male, per carità, è solo che mi dà fastidio l'approccio viscido» dico rilassandomi sullo schienale della sedia.

«Boh, comunque no… *Il ne me dérange pas*».

Devo controllarmi, sicuramente la frase in francese significa che gli approcci di Ruggero nemmeno li ha notati e quindi certo che non le danno fastidio. Questo significa. O forse no.

«Ah, beh... Se non ti dà nessun fastidio allora scusa. Sai com'è, pensavo che quelle manacce unte sempre addosso... Colpa mia, ho sbagliato. Se non ti dà fastidio fine della faccenda!» e torno a sedermi al tavolo di Filippo.

«Che cacchio ridi?» gli dico.

«Angelo non rompere che non sto ridendo».

«Nooo, guarda che faccia!».

«No, piantala, perché mi sono giusto detto: "Niente battute né risatine che oggi Angelo c'ha la luna storta", quindi...».

Quindi un cavolo, quindi quella del mio amico è solo una emiparesi facciale che, guardacaso, gli ha bloccato sul volto un'espressione da presa per i fondelli. E poi non ho la luna storta, è che mi danno fastidio questi atteggiamenti subdoli. Ruggero lo sa benissimo che mi piace Lauretta. Certo, anche a lui dico che il mio interesse è tutto per Agata ma insomma, appigliarsi a questi cavilli è davvero disgustoso. Poteva chiedermelo almeno. "Ti dispiace se corteggio Lauretta?" e io: "No, figurati" avrei risposto. "Mica è di mia proprietà, e poi se a lei piacciono i tipi che alla soglia degli ottanta girano ancora con i jeans e le scarpe da ginnastica prego, accomodati pure". Comunque questione archiviata, Lauretta con me ha chiuso, ho una dignità io e se lei se la sente di calpestare i miei sentimenti bene, io a questo giochetto non ci sto più. Si tenga pure Ruggero.

Ettore si siede al nostro tavolo e arraffa le carte. «Scopetta in tre?».

«Ma chiederci prima se vogliamo finire la mano no, eh?» gli dico.

Filippo si controlla un'unghia e scuote la testa. Ettore raccoglie il messaggio.

«Mmmh, giornatacciaaa» mormora.

Io sopporto tutto, ma i mormorii proprio no.

«E che cacchio!» urlo mentre mi alzo.

Mi avvio verso l'uscita perché oggi la soddisfazione della scenata non voglio regalargliela.

«E uno si frega le carte...» mi scappa.

Mi mordo la lingua e arrivo in strada sperando che una bella passeggiata mi aiuti a calmare i nervi.

«...e l'altro si frega la donna!» sbraito.

32.

A neanche un mese dalla partenza di Manu, Filippo comincia a perdere colpi. Ha piccole amnesie e di tanto in tanto degli spaesamenti. Peccato perché l'attività fisica cominciava a dare qualche frutto, soprattutto su di lui. È difficile riconoscere i segni dell'arteriosclerosi quando ci si frequenta da così tanto tempo. Sarà un decennio che ci diamo vicendevolmente dei rincoglioniti: dimenticanze e lapsus non ci sono mai mancati, ma non al punto da dubitare seriamente della nostra integrità cerebrale. Almeno fino alle quattro di stamattina. Suona il telefono e per poco non ci resto secco. Farlo squillare in piena notte è un metodo diabolico per ammazzare i vecchi: teniamo tutti la suoneria al massimo, l'effetto è quello di una sventagliata di mitra in chiesa.

«Angelo, sono le quattro e non so che fare...» mi dice Filippo con la voce incerta.

Io ho ancora l'affanno e rispondo a fatica.

«Filippo... che significa che non sai che fare?».

«Sono le quattro di pomeriggio o le quattro di mattina? Fuori è tutto buio...».

Vorrei credere a uno scherzo ma riconosco la stessa voce sbigottita del signor Emilio. Ho un brivido.

«Filippo, sono le quattro di mattina, devi dormire. Fuori è buio perché è notte fonda».

«Aaah, ecco. Infatti mi ero detto: accidenti quanto fa buio presto...».

Vorrei buttarla a ridere per confortarlo ma non ci riesco.

«Quindi ripetimi, che devo fare?» mi chiede.

«Andare a letto, Filippo. Facciamo così, tu ora vai a dormire e quando è ora di svegliarsi ti chiamo io, va bene? Non ti alzare finché non ti chiamo».

«Sì sì, va bene. Si vede che ho avuto un momento di confusione...».

«Ma sì, capita a tutti, mica significa niente. Ora vai a letto».

«Angelo?».

«Sì?».

«A Ettore e Osvaldo non dirai nulla, vero?».

«Ma ti pare?».

Alle otto lo chiamo, è lucido e della telefonata notturna non ricorda nulla, anzi mi prende per scemo. Siccome sono di parola non dico nulla a Ettore e Osvaldo, ma chiamo di corsa la donna che con me ha chiuso e la convinco ad accompagnarmi dal medico della mutua. Riusciamo a trascinare con noi anche Filippo con la scusa che quest'anno il vaccino antinfluenzale va prenotato in anticipo. Il nostro medico è una ragazza molto in gamba, che per noi vecchi significa sostanzialmente che non si rompe le scatole ad ascoltarci mentre elenchiamo malanni, disavventure quotidiane e anche un po' di fatti altrui. Anticipo il nostro arrivo con una telefonata alla dottoressa in cui le spiego l'accaduto e le chiedo che la visita avvenga senza menzionare il fatto, per evitare di mortificare il mio amico.

Nella sala d'attesa conversiamo del più e del meno, ma solo in apparenza. In realtà testiamo il suo stato di salute continuando a chiedergli cosa ha fatto ieri, cosa ha mangiato e cosa ha visto in tv. Filippo inizia a insospettirsi, così Lauretta prova a normalizzare la conversazione rivolgendosi a me.

«E tu cos'hai visto ieri?».

«Ieriii...».

Porca miseria, cosa ho visto ieri? Mi sono messo davanti alla tv e... ma sì che ho pure pensato: "Mamma mia che fesseria!".

O forse era l'altroieri? Porcaccia la miseria. La mia testa sembra un cassetto in disordine, frugo alla ricerca di quello che ho visto ieri in tv e per le mani mi capitano solo cose inservibili: la discussione al centro anziani, Ettore che prende le carte, Enzo che rifiuta la mancia, il soldato tedesco.

«Niente tv ieri, ho letto un libro...».

«Uh, quale?» mi chiede subito Lauretta.

Eh, ma allora lo fa apposta!

«Il prossimo!» urla la dottoressa.

«Eccolo!» rispondo al volo.

La dottoressa mi accoglie con quel calore che di solito mi fa passare i malanni all'istante. Le racconto i fatti nei minimi particolari, le spiego che fisicamente sta bene, che ultimamente fa anche parecchio moto. Solo alla fine le chiedo se non ricordarsi cosa si è visto in tv la sera prima sia da considerarsi un sintomo grave. Rassicurato, lascio il posto a Lauretta che rimane dentro solo pochi minuti. Anche Filippo sta poco e quando esce ci interroga sulla ricetta che gli ha lasciato la dottoressa insieme a un campione del farmaco. Gli diciamo che l'ha data anche a noi già da qualche tempo. Leggendo il bugiardino mi rendo conto che quel farmaco deve essere l'opera di un genio. Funziona così: se non ti ricordi le cose, c'è questo miracoloso ritrovato della scienza che devi ricordarti di prendere due volte al dì. Maledetti.

33.

La stesura di un nuovo piano ha portato energia nel gruppo. Si tratta di un'incursione per vie sotterranee che sfrutta la rete fognaria e conta sull'effetto sorpresa. Il piano è nato perché Osvaldo ha incontrato Lauretta che tornava a casa con un borsone pieno di stampe d'epoca. Tra scene di caccia, velieri e quadri di Roma sparita è spuntata una vecchia mappa delle fogne del centro storico. Dio solo sa cosa volesse farci Lauretta, non solo con la mappa, sicuramente finita lì per caso, ma anche con quella raccolta di ben settantasei stampe.

E comunque, la mappa si presta perfettamente alla stesura di un piano che ha come obiettivo un palazzo in pieno centro dotato di un ampio cortile interno. Facendo irruzione attraverso il tombino per lo scolo delle acque piovane potremmo tagliar fuori la nutrita guardia esterna, e a quel punto dovremmo vedercela solo contro tre o quattro preparatissime guardie private. Nessuno di noi ha voluto toccare l'argomento "Neutralizzazione presidio di guardia", quindi ci siamo messi a studiare la mappa per individuare un luogo d'accesso alle fogne nascosto e non troppo lontano dall'obiettivo. Ne abbiamo trovati due, distanti circa trecento metri dal palazzo.

Il piano "Irruzione sotterranea a Villa Grazioli", nome in codice "Montecristo", impone quindi di intensificare la preparazione fisica. Oltre ai quindici minuti quotidiani di camminata a passo svelto, faremo un'ora di palestra tre volte a settimana. Non avendo il denaro per iscriverci neanche al centro sportivo parrocchiale, abbiamo allestito a casa di Ettore una sala pesi spartana ma dotata dell'essenziale: una vecchia cyclette, una panca da osteria, un manico di scopa con appesi tre elenchi del telefono per lato e un bel cartello da appendere sulla porta dell'ex stanza degli ospiti con su scritto "Palestra dell'Ardimento".

«Un nome un po' da fasci» commento.

«E certo, diamogli anche l'esclusiva sull'ardimento! Già sembra che il tricolore l'abbiano inventato loro. Trovaglielo tu un nome...» dice Ettore inviperito.

Scartati immotivatamente, almeno a mio modesto parere, "Palestra Molotov" e "Palestra Togliatti", decidiamo di ripiegare su "Palestra del Popolo".

«Complimenti per la fantasia, poi ci lamentiamo se ci prendono per il culo» brontola Ettore.

Nella sala d'aspetto del pronto soccorso la discussione è animata. C'è di mezzo una scommessa di due euro a testa e, secondariamente, l'onore di Ettore.

«Comunque ha vinto, il crack si è sentito dopo il quinto sollevamento!» sostiene Filippo.

«Nooo! S'è sentito *mentre* faceva er quinto, non *dopo*!» precisa Osvaldo.

«Secondo me ha ragione Osvaldo, la distensione non l'ha completata, il crack è arrivato prima!».

L'intervento di un infermiere interrompe l'appassionato dibattito.

«Ma la fate finita? Questo è un ospedale, mica una sala scommesse! Ha fatto meno casino il vostro amico quando gli abbiamo raddrizzato il gomito!».

Ettore esce dal reparto di radiologia con il braccio fasciato e appeso al collo. È accompagnato da un medico che non sembra essere lì per cortesia, pare più che altro interessato a vedere chi sono gli altri fenomeni che si sono messi in testa di farsi venire i muscoli a ottant'anni.

«Allora: niente di grave, nessuna frattura, nessuna lesione tendinea. Il vostro amico dovrà solo tenere il braccio a riposo per una ventina di giorni» ci dice.

«Ma può correre, sì?» chiedo.

«Perché, correte?».

«No, be', in realtà camminiamo».

«Ah, ecco. Comunque, certo, una moderata attività fisica è sempre consigliabile. Magari andrebbero evitati sforzi inutili, eccessi… e stronzate varie. Perdonate la franchezza».

Ettore deve avergli raccontato che nella Palestra del Popolo, dopo esserci riscaldati per una decina di minuti, abbiamo iniziato a sfidarci a chi sollevava più pesi. Ma non c'è proprio bisogno che il moccioso con il camice bianco qui presente ci ammannisca il suo predicozzo. Sappiamo quello che stiamo facendo, ci siamo solo lasciati prendere un po' troppo la mano, e poi io gliel'avevo detto a Ettore che dopo le due bottiglie da un litro e mezzo non avrebbe dovuto aggiungere anche le scatole di fagioli, ma lui niente, è un gran testardo. Il problema è che durante le passeggiate mattutine è sempre il primo a stancarsi, e credo che gli bruci parecchio vedersi battuto regolarmente anche da Osvaldo.

Ci avviamo lentamente verso l'uscita. Ettore minimizza il danno al braccio e spavaldamente ci dice che di tutte le pomate e le medicine che gli hanno prescritto non prenderà un bel nulla.

«Comunque complimenti, la scommessa l'hai vinta alla grande» gli dico.

E lui fa quella cosa che dovrebbe fare ogni vecchio al termine di ogni singola giornata: sorride di cuore.

34.

Quando Manu ha preso il primo stipendio ha subito pensato a un regalo per il nonno. Il regalo si chiama Antonio, o almeno così pare. È filippino ed è stato ingaggiato per pulire la casa di Filippo una volta alla settimana. Antonio ha trentanove anni, le spalle scolpite dal duro lavoro e la pancia tornita dalla passione per l'amatriciana. Si alza alle quattro e mezza e lavora in vari posti fino alle otto, affrontando un carico di fatica che stroncherebbe la vita a un mulo, ma che a lui non scalfisce nemmeno il buonumore. Sa riparare televisori, lavatrici e frigoriferi, se la cava con gli impianti elettrici ed è un mago dell'idraulica. È bravissimo anche a fare la spesa e a prendersi cura delle piante. Un qualsiasi Paese del mondo che contasse un cinque percento della popolazione con queste caratteristiche sarebbe una serena e prospera superpotenza. Ma a giudicare dai problemi che il filippino incontra ogni volta che deve rinnovare il permesso di soggiorno, l'Italia questo rischio non vuole proprio correrlo.

Ce ne stiamo nel salotto di Filippo a sfogliare i numeri di

Grand Hotel in attesa che Antonio finisca di pulire i vetri e ci permetta di andare da Ettore per la seduta di allenamento. Ecco, se proprio gli si vuole trovare un difetto a questo ragazzo, è un tantino maniaco dell'igiene: l'operazione va per le lunghe e noi ci affacciamo a guardare le persone che passano. Filippo abita al pianterreno e le sue finestre sono un punto d'osservazione irresistibile per qualsiasi anziano. In sequenza vediamo: il direttore di banca, cinquantenne in splendida forma, che ha appena parcheggiato nel posto riservato ai disabili; quella tirchia della signora Matilde che cambia strada per non passare davanti a un mendicante; un ragazzino che impenna con la bicicletta sul marciapiede e in premio riceve uno sganassone dalla mamma; di nuovo il direttore della banca, che abbraccia il caro correntista Ruggero neanche fosse una pin-up, mentre a me non rivolge mai nemmeno uno sguardo, e non si accorge della bella multa che la vigilessa gli sta appioppando. Ah, vedi, la donna che ha dato lo sganassone al bambino spericolato non è la mamma, è Fernanda.

«Antonio, è tardi, lascia perdere che va bene così» dice Filippo.

«No segnòr, c'è ancora alone».

«Ma non fare il fissato, va benissimo! Sono finestre, mica la cristalleria della regina!».

Non c'è nulla da fare, Antonio non tollera gli aloni sulle finestre, lo sporco che annerisce le fughe delle mattonelle, l'opacità calcarea sul lavello. E infatti torna in salotto armato di uno spruzzatore riempito con una miscela di sua invenzione a base di alcol, ammoniaca e aceto.

Noi torniamo a guardare fuori ma il filippino ci caccia perché è rimasta solo la nostra finestra e se restiamo lì non può pulire a dovere. Ci mettiamo sulle poltrone, e quando il vetro inizia a squittire sotto le sue energiche sfregate Filippo prova a prenderlo con le buone.

«Basta, Antonio, dobbiamo uscire. E poi fai tardi a casa della signora e quella s'incavola, lo sai» gli dice supplichevole.

«Ba bene segnòr, ancora alone è un po' rimasto però...».

Poi chiude la finestra e si congeda con grandi sorrisi e un'occhiata poco convinta ai vetri.

«Non riesco a farglielo entrare in testa, io mi accontento di una pulita alla buona... ma lui niente, sterilizza! La sua è una vera ossessione» mi dice Filippo.

«Non esageriamo, sarà solo uno che...» – un dito di Antonio che spunta dal davanzale della finestra mi fa perdere la concentrazione: gratta con l'unghia una crosticina di sporco e si dilegua – «...la prende maledettamente sul serio».

35.

«Questa è cicoria, altroché!» dico a Ettore con entusiasmo.

«Dici? Sembra più rughetta selvatica...».

«Che me devo preoccupa'?» ci interrompe Fernanda.

Dallo sguardo direi che non se l'è bevuta. Ma è arrivata all'improvviso mentre stavamo provando il passo del giaguaro, ci ha colti che strisciavamo a terra e non è che potevamo inventarci chissà cosa. Filippo e Osvaldo, in piedi accanto a Fernanda, reggono il gioco alla grande: osservano la piantina con espressione partecipe e annuiscono. La strappo, mi metto in ginocchio, poi facendo forza sulle cosce recupero la posizione eretta. Ettore tenta una manovra diversa: si volta supino, prova a sedersi e resta a terra a dimenarsi come un bacherozzo capovolto. Cerco di distrarre l'attenzione di Fernanda dallo spettacolo pietoso.

«Guarda qui! Altro che quella schifezza piena di diserbanti e concimi chimici!» dico mostrando la piantina.

Filippo e Osvaldo continuano ad annuire. Fernanda ci scruta.

«Raccogliete 'a cicoria al parco, alle sette meno 'n quarto de matina?» chiede.

«Eeeh, poi arrivi alle otto e se la sono già presa! Questa è roba buona, cresce senza niente! Sole, acqua...» dico.

«Piscio di cane...» aggiunge Fernanda.

«Ne prendiamo un po' pure per te?» azzarda Filippo.

In certe cose Fernanda è molto donna, non ha bisogno di rispondere per farci sentire degli idioti, le basta metter su quell'espressione materna, superiore, con le sopracciglia che s'inarcano e la fronte lievemente aggrottata. Incrociato lo sguardo di tutti e quattro se ne va con un sospiro, anche questo di genere femminile, che fa imbestialire e non ammette repliche.

«Be', dài ragazzi, raccogliamo la cicoria!» dico per non dargliela vinta.

C'è una strana atmosfera nel gruppo, un immotivato ottimismo che rasenta la follia. Un distacco dalla realtà tipico dei gruppi terroristici più deliranti. Solo così riesco a spiegarmi la costanza che mettiamo negli allenamenti, la serietà nella stesura dei piani e il cieco entusiasmo anche nelle situazioni critiche. Dopo l'incursione di Fernanda abbiamo commentato: «Siamo stati bravi, c'è caduta in pieno!» e come se niente fosse, seduti in circolo, abbiamo cominciato a organizzare il resto della giornata.

Ettore dice che dobbiamo visionare altri filmati, fare un paio di sopralluoghi e mettere in preventivo una dieta.

«Quale dieta?» gli chiedo.

«Ragazzi, la dieta è fondamentale, solo con gli esercizi fisici non andiamo da nessuna parte...».

Filippo è robusto e ha appena un po' di pancetta, Osvaldo e io siamo pure troppo magri, quello che non riesce a vedersi la punta delle scarpe è lui.

«Sì, ma che dieta è? Chi te l'ha data?».

«Roba seria, scientifica, serve per togliere il grasso in eccesso senza compromettere la muscolatura. Tolta la zavorra inutile vedrete come inizieranno a marciare le gambe!».

Ci passa un foglio a testa, sopra c'è scritto Dieta Dukan. Non sembra la solita dieta dimagrante, si può mangiare praticamente di tutto, privilegiando però la carne. Ci sono quattro fasi da rispettare e nessun limite rispetto alle quantità.

«Chi è Dukan?» chiedo.

«Un militare... un generale americano... roba di rangers o marines, non ricordo. È seria, ve l'ho detto» ci assicura Ettore.

Si è grattato il naso due volte. Lo fa quando spara balle. Ma non capisco perché dovrebbe mentirmi, e così la prendo per buona e continuo a leggere insieme agli altri.

«Bella 'sta dieta... ma mica me la posso permette'! Bistecche, pollo, prosciutto... è 'na dieta da ricchi!» dice Osvaldo.

Con qualche perplessità accettiamo di fare il tentativo. In fondo non ho mai seguito una dieta in vita mia e la cosa m'incuriosisce, avere un corpo da marine a ottant'anni non mi dispiacerebbe affatto.

Mentre facciamo stretching concordiamo su alcune note conclusive: l'allenamento mattutino viene anticipato alle cinque per evitare altri incontri pericolosi; in caso di nuova incursione da parte di *personale ostile*, così Ettore ha chiamato Fernanda, si sosterrà la tesi del programma anticolesterolo varato dal ministero della Sanità. Fino al completamento della dieta niente più piani che prevedano strisciamenti o passi del giaguaro.

36.

STAMANI IN ALBERGO VOLEVO FARMI UNA CIULATINA CON UNA CAMERIERA. MA LA RAGAZZA MI HA DETTO: «PRESIDENTE, MA SE LO ABBIAMO FATTO UN'ORA FA...». VEDETE CHE SCHERZI CHE FA L'ETÀ?

Orlando e Giuditta sono una celebrità, *gli inseparabili* del quartiere. Novant'anni lui, ottantasette lei, sono sposati da sessantasei anni e stanno sempre insieme. Non sono una coppia da romanzo rosa: dopo neanche due anni di matrimonio hanno iniziato a detestarsi e a fare delle scenate che nel quartiere ancora se ne parla. Sono andati avanti così fino a nove o dieci anni fa, quando lui ha avuto un'infezione polmonare e ha rischiato seriamente di lasciarci la pelle. È rimasto in terapia intensiva per due settimane e i medici hanno dovuto chiamare gli assistenti sociali per convincere Giuditta a tornare a casa ogni tanto, almeno per dormire. Da allora è stato di nuovo amore, come se si fossero incontrati per la prima volta dopo essersi attesi per una vita. Camminano sempre sottobraccio o mano nella mano. Se lei si allontana per parlare con delle amiche, lui resta imbambolato a fissarla. Se lui si siede al tavolo per giocare a carte, lei resta in disparte e ogni volta che lo vede vincere una mano gli sorride e applaude. Vederli passeggiare insieme, fermarsi davanti alle vetrine dei negozi e scherzare come due adolescenti sono cose che tolgono il fiato. Non alle vecchie malelingue ovviamente. «Che bisogno c'è di fare quelle sceneggiate?» dicono. «Secondo me si odiano ancora» malignano. Le capisco, è difficile digerire tanta bellezza quando si è soli e amareggiati dalla vita. Ma non ci vuole niente a intuire che tra quei due c'è qualcosa di prodigioso. Nessuna coppia, neanche la più diabolica, riuscirebbe a portare avanti una messinscena così a lungo e con tanta costanza.

Orlando e Giuditta che tornano innamorati come due fidanzatini del liceo, Filippo che dopo una vita da farfallone diventa improvvisamente fedele alla memoria della moglie... C'è poco da fare, la vecchiaia è un momento magico.

Gli inseparabili camminano sottobraccio una ventina di metri davanti a me. Hanno il passo lento di chi non ha più fretta, di chi ha capito l'importanza di ogni metro di strada fatta insieme e ha deciso di goderselo tutto. Quello che sto guardando è il paradiso dei vecchi. Niente vallate di bagni termali, con boschi di poltrone ergonomiche e distese di avvenenti badanti dell'Est, ma una persona con la quale addormentarsi la sera e da coccolare al risveglio la mattina.

«Grazie...» mi dice Filippo.

Ero soprappensiero e gli ho preso teneramente la mano. La tiro via subito, come se l'avessi immersa nell'acqua bollente.

«Be', mi sa che ti aspetto al centro» aggiunge imbarazzato dal mio scatto.

Ci scambiamo due virili pacche sulle spalle e ci separiamo. Torno a camminare dietro agli inseparabili pensando che andare avanti così non è dignitoso, devo per forza accorciare il guinzaglio alla mia immaginazione. Seguendoli sono arrivato quasi sotto casa di Lauretta e rallento il passo. Adesso le citofono, mi dico. Non posso passare il tempo a invidiare la fortuna degli altri se non ho il coraggio di procurarmi la mia. E la mia si chiama Lauretta, penso, la donna che potrei tenere per mano ogni secondo di quel che resta della mia vita. Orlando e Giuditta svoltano l'angolo, sospiro come un idiota e mi obbligo a fermarmi davanti al citofono. Scala C, interno ventiquattro... ecco, De Bernardinis, scritto a matita da una bambina settantenne. Prima di suonare devo pensare a cosa dirle. Già, cosa? "Ciao Lauretta, non è che ti andrebbe di passeggiare mano nella mano prima che sia troppo tardi?". Magari basta un semplice: "Ciao, vieni a fare due passi?". Potrei comprare delle scatolette per gatti e dire che c'era una svendita e che ho pensato potessero esserle utili. C'entrerà qualcosa l'anno da partigiano che ho passato a nascondermi nelle campagne? Se cerco sempre di mascherare le mie vere intenzioni una ragione dovrà pur esserci. Basta manfrine, adesso suono e le chiedo se vuole venire a prendere un caffè. Semplice e diretto. Vado. Al tre. Uno... due...

«Che, cerca qualcuno?».

Quanto dev'essere stata ridicola la scena davanti al citofono lo intuisco dall'espressione del portiere. Se ne sta a braccia conserte, seduto sulla sua poltroncina all'interno della guardiola. Ha gli occhiali da lettura calati sul naso e l'espressione di chi lo spettacolino se l'è goduto tutto.

«Non abita più qui... Manfredini?» chiedo.

«Come no, scala E interno otto».

Maledetti condomìni alveare, ma che davvero esiste un Manfredini? Scala E... interno otto... eccolo qui! Ma che razza di sfortuna! Quando torno a casa voglio prendere l'elenco del telefono e vedere quanti Manfredini ci sono a Roma!

«Ah ecco, mi pareva infatti! La ringrazio eh, magari ripasso un'altra volta che oggi devo scappare» dico.

«Angelo!» sento dire alle mie spalle.

«Lauretta!».

«Che ci fai qui?» mi chiede.

«Niente, passavo...».

«Ci andiamo a prendere un caffè?».

E lo stronzo del portiere mi guarda. Non mi toglie gli occhi di dosso con quell'espressione da saccente annoiato!

«No, ti ringrazio. Stavo giusto dicendo che devo scappare».

37.

«Sei sicuro? Non l'hai mai fatta...» mi dice Filippo.

«E sai che ci vuole!».

È vero, la gag della busta di arance non l'ho mai fatta ma oggi mi girano proprio e a quelle maledette auto blu voglio fargliela pagare come si deve. Cari i miei signorini in giacca e cravatta, voi non ce l'avete le rogne con l'esattoria, non avete problemi se dovete farvi una TAC con urgenza, bella la vita eh? Rimugino tra me e me, anche se oggi il vero motivo dell'incazzatura è il caffè mancato con Lauretta.

«Quando l'auto si ferma tu devi fare un saltello e dare un bello strattone alla busta. Bello secco lo strattone, sennò non si rompe» mi dice Filippo.

«Ho capito, e che sarà mai? Possibile che ogni fesseria la dobbiamo trasformare in un'operazione dei servizi segreti?» urlo.

«Vabbè dài, parliamo del tempo che ne sta arrivando una...».

Tossisco, mi schiarisco la gola come un tenore prima dell'esibizione ed entro nel personaggio.

«Ieri faceva caldo, oggi si gela» dico alzando uno sguardo vago verso il cielo.

«Non si sa più come vestirsi» aggiunge Filippo partecipe.

«Eccola, vado!».

«No, aspetta, è troppo presto...».

Salto giù dal marciapiede e mi volto di scatto verso l'auto che però arriva più lentamente del previsto e ha tutto il tempo di fermarsi a un paio di metri da me. Cerco comunque di riprendere in mano la situazione e fingo di spaventarmi. Faccio un saltello indietro che però, vista la distanza tra me e il muso dell'auto, temo sia risultato incomprensibile a tutti gli spettatori sotto la pensilina. Ne approfitto per dare un bello scrollone alla busta ma quella non si rompe. Ne do un altro. Niente.

«Basta, Angelo» mi bisbiglia Filippo.

Inizio ad agitarla e finalmente la busta si rompe proiettando arance ovunque. Solo a questo punto trovo la lucidità per guardarmi intorno e scoprire che dalla fermata dell'autobus mi stanno guardando con aria preoccupata. Un ragazzo ridacchia. Filippo si precipita a raccogliere le arance.

«Tocca che ti dài una calmata!» mi dice.

Per tutta risposta faccio un ultimo tentativo.

«Ci sono le strisce! Che, pensate di essere i padroni della strada?» dico sperando di attirare consensi.

Invece attiro un: «Deve esse' l'arteriosclerosi» e un: «A quell'età non dovrebbero gira' da soli» mugugnati neanche troppo a bassa voce da un quarantenne occhialuto con il borsello a tracolla e da una rimbambita che avrà dieci anni più di me.

«Ti ricordi la piscina a Colle di Mezzo? Ci andavi mai?» mi chiede Filippo.

Quando nel presente qualcosa non va i vecchi sanno dove

rifugiarsi. Bastano un paio di "Ti ricordi?..." per cancellare l'amarezza. Con Filippo poi la situazione è di tutto riposo. Un altro t'incalzerebbe con altre domande: "Allora, ti ricordi o no? La piscina dove si andava da ragazzi, te la ricordi?". Lui invece la butta lì e tu puoi anche non rispondere, perché lo scopo della domanda è solo attivare la memoria, condividere un pensiero. Torno indietro di vent'anni e niente, poi di trenta, di quaranta e alla fine ripesco qualcosa, un ricordo dell'immediato dopoguerra. C'era un vecchio contadino che aveva di fronte alla sua baracca un minuscolo bacino idrico, una struttura in muratura grezza di quattro metri per quattro che gli serviva come riserva per l'irrigazione del suo campo. Da giugno a settembre si poteva andare lì e per poche lire si era liberi di sguazzare in quel metro scarso d'acqua torbida per un paio d'ore. Sì, ci andavo, forse era a Ottavo Colle e non a Colle di Mezzo, però ci andavo eccome e non è escluso che un giorno Filippo e io possiamo aver sguazzato insieme. Mi ricordo il fondo melmoso, mi ricordo che non me ne importava nulla, e che prendevo la tintarella per poi vantarmi con gli amici di essere andato al mare. Mi scappa un sorriso, quello che altre persone non sarebbero riuscite a strapparmi nemmeno con mezz'ora di chiacchiere e incoraggiamenti.

Abbiamo superato un'altra fermata dell'autobus, ormai credo proprio che la strada di ritorno ce la faremo tutta a piedi. Gli metto una mano sulla spalla, lui mi sorride.

«Sì, me la ricordo» gli dico.

«Cosa?».

«La piscina a Colle di Mezzo...».

«Oh, mi hai letto nel pensiero! Ti giuro che stavo pensando proprio a lei».

Senza uno specchio davanti è difficile dire chi dei due in questo momento abbia lo sguardo più sorpreso.

«Ma tu guarda...» aggiunge tutto contento.

E io penso: caro Dio, se mi porti via Filippo ti ammazzo.

38.

Credo che intimamente lo sappiamo tutti e quattro che stiamo solo giocando. Questa storia di rapire il premier è una pazzia, una trovata per passare delle belle giornate insieme. Per carità, non che ci manchi il coraggio, il problema è che i piani elaborati finora sono tutti minati dallo stesso vizio di fondo: non tengono conto della nostra condizione fisica e della cronica mancanza di denaro.

Ma questo nuovo piano, che prenderà il posto del progetto "Montecristo" recentemente sospeso (motivo ufficiale: la scarsa attendibilità della mappa della rete fognaria datata millenovecentotrentanove), ha tutte le carte in regola per funzionare, anche se è di gran lunga il più audace di sempre e prevede nientemeno che il rapimento del premier in pieno giorno, davanti a decine di persone. Non ha ancora un nome in codice e nasce dal rovesciamento totale del punto di vista: l'età avanzata è la nostra arma segreta.

L'idea mi è venuta verso l'ora di pranzo, c'era stato un tamponamento tra due auto e mi ero avvicinato a un poliziotto per dirgli che avevo assistito all'incidente e potevo testimoniare sulla dinamica. «Ero lì sul marciapiede e ho visto tutto, il signore nella macchina grigia stava parlando al telefonino...» gli ho detto. Ma quello si è girato dall'altra parte e ha iniziato a gesticolare verso un guidatore curioso che intralciava il traffico. Ho atteso e mi sono rifatto di nuovo sotto: «Agente? Ho visto tutto» e quello: «Per favore, sgombrate l'incrocio!» ha detto un po' a tutti, quindi anche a me, ma senza guardarmi in faccia. In quel preciso istante ho avuto l'illuminazione: noi quattro vecchietti abbiamo un vantaggio formidabile e dobbiamo assolutamente sfruttarlo.

Ho raccontato la mia idea ai ragazzi, ognuno ci ha messo del suo e in pochi minuti tutti i tasselli sono andati a posto. Servono pochi soldi, poca preparazione fisica e soprattutto niente armi. È un piano perfetto. Certo, si tratta di un'azione suicida, proprio come le altre, e sappiamo benissimo che nella più rosea delle previsioni saremo catturati entro quarantotto ore, ma siamo disposti a correre il rischio. Gli unici problemi seri che abbiamo individuato sono due: ci servirà il sostegno di parecchi uomini e non potremo programmare il giorno esatto del rapimento, dovremo essere pronti a entrare in azione appena si verificheranno le condizioni ideali. Forse ci vorranno dei mesi ma in fondo è meglio, utilizzeremo il tempo per migliorare la nostra condizione atletica e limare i dettagli.

Siccome il piano è stato approvato sotto la spinta emotiva di due litri di rosso, di quello buono, decidiamo di far passare la notte e di ritrovarci il mattino seguente per analizzarlo con più lucidità.

Per l'emozione ho passato la notte in bianco. Continuavo a creare scenari sfavorevoli, ma ogni volta il piano si dimostrava perfetto. La parte difficile è all'inizio: devono verificarsi contemporaneamente una serie di eventi senza uno solo dei quali il fallimento è assicurato. Inoltre, se abbiamo fortuna, saranno comunque cruciali i primi trenta secondi. L'aspetto positivo è che se qualcosa dovesse andare storto nella fase più critica potremo annullare la missione all'istante e cavarcela con una semplice lavata di capo o, alla peggio, con un'incriminazione per reati minori.

Il mio entusiasmo e le mie occhiaie sono condivise anche dai miei amici. Il piano è buono, dunque quello della sera prima non era ottimismo alcolico. Ci spariamo un bel caffè forte e siccome non stiamo nella pelle decidiamo di andare dietro il parco per una prova. Sulla stradina laterale c'è una vecchia station wagon abbandonata che fa proprio al caso nostro, ammesso che non l'abbiano rimossa. Ringraziamo l'ufficio per il decoro urbano che se ne frega serenamente del decoro del nostro quartiere e prendiamo posto intorno a quel catorcio coperto di polvere.

Discutiamo brevemente sulle posizioni da prendere e, con Filippo come osservatore e cronometrista, facciamo delle prove. Dopo la terza Filippo ci ferma.

«No, ragazzi, non ci siamo proprio».

«Cosa c'è che non va?» chiedo.

«Il tempo, maledizione. Non andate a tempo. Apertura e chiusura degli sportelli devono essere simultanee!».

«Dài, riproviamo» ci esorta Ettore.

Riprendiamo i nostri posti e al via ci avviciniamo alla macchina coordinando il passo di partenza. Con la coda dell'occhio studio le mosse di Osvaldo per sincronizzare i miei movimenti e... via! Apertura, ingresso, strattone, chiusura, sicura!

«Stop! Stooop!» urla Filippo col tono di un coreografo inorridito.

Ettore ridisegna le posizioni e studia dei comandi secchi per guidarci durante la manovra. Il risultato non cambia, allora riproviamo scambiando i rispettivi punti di partenza e provando direzioni alternative. Dopo l'ennesimo «Stop! Stooop!» sbatto lo sportello dell'auto, mandando in frantumi l'ultimo vetro rimasto sano.

«Senti, meglio di così non può venire!» sbotto.

«*Deve* venire meglio di così, il tempo d'arrivo è giusto, è sulla sequenza che vi scomponete e andate lunghi» ribatte Filippo.

«In tre secondi non ce la faremo mai».

«Ma che dici! È solo che non siete coordinati. Lo so io cosa ci vuole».

Quello che mi è insopportabile è ritrovarmi alla mia età a essere costretto a fare cose che non ho nessuna intenzione di fare. Ma insomma, dopo una vita passata a timbrare il cartellino e a dire sissignore ancora non è arrivato il momento in cui posso essere padrone di me stesso?

«Maria santissima, ma hai finito de brontola'?» mi chiede Osvaldo.

«Tanto non se ne parla» rispondo.

«No, tu invece ne parli perché qui nessuno è contento ma il sacrificio siamo disposti a farlo. E se lo facciamo noi lo fai anche tu» mi dice Ettore a brutto muso.

«Voi siete matti! Io non mi abbasso a queste cose».

«Quanto la fai lunga» mi dice Filippo.

«Sentilo, il damerino! Di' la verità, dillo che tu avresti sempre voluto farlo e la missione è solo una scusa».

«Ecco i fogli per l'iscrizioneee!» cinguetta Matilde.

L'idea di Filippo è che, per recuperare il ritmo e la sincronia dei movimenti necessari per la riuscita della missione, l'unica soluzione sia iscriversi ai corsi del Gruppo Alligalli, la scuola di ballo del centro anziani. E la cosa assurda è che a tutti è parsa un'idea geniale.

«L'iscrizione minima è per quattro mesi» dice la vecchia.

«Quattrooo!» ripeto sorridente per sottolineare l'assurdità ai miei amici.

«Le lezioni durano due ore».

«Niente di meno!».

«E a fine anno ci sarà un bel saggio».

«Pure un bel saggio!».

«Ripeti un'altra parola e ti rompo il bastone di Osvaldo sulla dentiera!» mi sibila Ettore alle spalle.

«È magnifico, no?» chiede Matilde.

Mi guardano tutti. Io serro le labbra per dimostrare che ho deciso di fare il bravo.

«Proprio magnifico!» rispondo, e trotterello via a tutta velocità.

39.

Una persona può essere un minimo preparata ad affrontare queste circostanze quando ha un figlio quattordicenne, ma se ti chiamano per dirti che c'è una situazione spiacevole che riguarda un tuo amico ottantottenne stenti a credere che ciò stia realmente accadendo, che quelle parole tu le abbia ascoltate sul serio e, più in generale, che quella che stai vivendo sia davvero una puntata della tua vita.

Entro nell'ufficio del direttore del supermercato seguito dal geometra Pasquarelli in veste di avvocato. Osvaldo se ne sta seduto a testa bassa e quando ci sente arrivare si volta appena. Dai pantaloni gli spunta il collo di una bottiglia di vino. Il direttore, un quarantenne con un maglione nero che copre una camicia azzurra portata senza cravatta, ci accoglie in modo burbero e si stravacca sulla poltroncina dietro la sua scrivania. Tamburella con le dita sui braccioli, attende.

«Conoscendo il mio assistito da svariati anni le chiederei di prendere in considerazione l'ipotesi che si possa trattare di un malinteso» dice il geometra.

«Ah!» risponde il direttore.

Si lascia proiettare in avanti dallo schienale pieghevole della poltroncina e atterra con un gomito sul piano della scrivania, indicandoci con l'altro braccio la bottiglia che spunta dai pantaloni.

«È certamente un'ubicazione inconsueta, che tuttavia non esclude la volontà di voler pagare il prodotto alla cassa».

Il direttore torna a gravare sullo schienale con l'aria annoiata. Chissà, forse sperava in una difesa più divertente. Tamburella sui braccioli, poi si ricatapulta in avanti. Prende il monitor del computer, lo volta verso di noi e fa partire un video. Si vede Osvaldo che prima mette del pane dentro il cestino, poi si avvia verso un corridoio e prende una bottiglia di latte. Poi è inquadrato mentre, nel corridoio opposto, si guarda a destra e a sinistra e rapidamente nasconde la bottiglia di vino nei pantaloni. Osvaldo deve aver già visto il filmato, perché non alza mai lo sguardo verso il monitor. La ripresa termina con il nostro amico che paga il pane e il latte ed esce dal supermercato.

«Eh!» dice il direttore.

«La pregherei di leggere questo breve referto medico...» dice il geometra mentre rifila al direttore una falsa perizia psichiatrica scritta dal nostro commercialista.

Il direttore la prende svogliatamente, con un colpo di reni si butta sullo schienale e la legge in pochi secondi. Il messaggio è chiaro, non gli interessa.

«Be', senta, non la facciamo troppo lunga. Mi dica quanto costa il vino, così risolviamo la faccenda e ce ne torniamo a casa» intervengo.

Il direttore mi fissa, ha uno sguardo spento con il quale vuole farmi capire che la mia uscita non gli è piaciuta nemmeno un po'. Poi si volta verso l'avvocato.

«Vede avvocato... da quanto siete qui?» chiede con tono infastidito.

«Non saprei, forse cinque minuti?» risponde il geometra.

Il direttore estrae un cronometro dalla tasca dei pantaloni, fa bippare uno dei tasti e si catapulta sulla scrivania per mostrarci il quadrante.

«Siete qui da undici minuti e ventisei secondi, e ancora non ho sentito quella parolina che dovrebbe aprire una discussione seria come questa. Ha presente quella parolina magica?».

«Buongiorno?» azzardo.

Il direttore mi fulmina con lo sguardo. La parolina magica non è quella.

«Scusi?» dice il principe del foro.

«Oh, ci siamo finalmente!» proclama il direttore ripiombando sullo schienale.

«Ma immagino che le scuse le abbia già fatte il mio assistito» dice e cerca conforto nello sguardo di Osvaldo, che però resta a testa bassa.

Il direttore torna a far bippare il cronometro. Lo volta.

«Per lui il tempo sta ancora scorrendo, sono passati cinquantotto minuti, quarantatré secondi... e ancora nulla!» dice aggiungendo un paio di dinieghi come sottolineatura.

«Mi scusi...» dice Osvaldo.

La sua voce così flebile mi coglie alla sprovvista. Un ex partigiano che chiede scusa con la voce di un bambino per aver cercato di rubare una bottiglia di vino da quattro euro... mi viene da piangere.

«Oh, ci siamo! Scuse accettate! Sono tempi duri, lo so, ma vede, per fare fronte a questi furti siamo costretti ad aumentare i prezzi e a farne le spese sono i vecchi onesti, quelli che pagano!» infierisce il direttore.

La ramanzina è andata avanti per una decina di minuti, non ho il cronometro ma più o meno siamo lì. Poi l'uomo ci ha dispensato grandi sorrisi, tutti falsi, e mestamente ci siamo avviati verso l'uscita.

«Quello dev'essere un malato di mente...» dico.

«Sssh, capace che oltre alle telecamere ha piazzato anche dei microfoni» dice il geometra.

«Eeeh, in questo caso sarebbe proprio da manicomio. E tu Osvaldo, non fare quella faccia, hai fatto una cazzata ma ora basta, è finita. La cosa grave semmai è che bevi troppo!».

«Ma non era per me. Sono stanco di farmi invitare a cena da voi senza mai portare niente. Per una volta non volevo essere l'unico ad arrivare a mani vuote!» si lagna.

Passiamo davanti a una cassiera che distoglie lo sguardo, poi, di fronte alla faccia affranta di Osvaldo, non resiste.

«Torturare un signore così carino per una fesseria del genere...» ci sussurra.

«*Marisa in direzione!*» strepita l'altoparlante.

Testamento VI

Roma, 6 maggio 2010.

Io, Angelo Di Ventura, nel pieno possesso delle mie facoltà fisi-

che e mentali, con la presente scrittura dispongo che la proprietà di tutte le mie sostanze venga suddivisa come segue: il dieci percento in parti uguali ai miei due nipoti, il resto ai miei amici Filippo Baldi, Laura De Bernardinis, Ettore Pacini e Osvaldo Antonelli. Chiedo inoltre che i sopraccitati amici utilizzino parte della somma per un brindisi giornaliero, vita natural durante, alla memoria delle gesta partigiane.

Nomino mio esecutore testamentario il signor Filippo Baldi.

40.

Io sono unto dal Signore.

Filippo ha una capigliatura irritante, folta e di un bianco candido. Quando si presenta al centro con una vistosa frezza verde pisello non può non attirare l'attenzione di tutti.

«Sei andato dal parrucchiere di Manu?» gli chiedo.

«Si vede tanto?».

«Mah, non tantissimo» dico.

«Ah, bene».

«Fili', scherzavo! Sei catarifrangente, si può sapere cos'è successo?».

Da circa sei mesi Filippo ha ingaggiato una guerra personale con un misterioso imbrattamuri che ha preso di mira la facciata del suo palazzo. Il problema è che abita al pianterreno e ha la finestra del salotto incastonata su un'ampia facciata color ocra pallido, a quanto pare una vera e propria carta moschicida per tutti gli stronzi del quartiere con una bomboletta in mano. Appena trova il muro imbrattato, lui chiama l'ufficio per il decoro urbano del comune e dopo un mese sullo scarabocchio c'è una bella toppa di un ocra sempre diverso. Scarabocchio toppa, scarabocchio toppa, l'imbrattamuri non si stanca e fa un errore di calcolo, mai mettersi contro un quasi ottantenne con una disponibilità praticamente illimitata di tempo. Dopo l'ennesima tinteggiata Filippo si è appostato dietro la finestra del salotto per tre sere di fila e alla fine l'ha beccato.

«"Adesso basta!" ho urlato» racconta Filippo.

«E lui?».

«Si è girato di scatto e mi ha spruzzato 'sta vernice verde sulla faccia».

«E poi?».

«"Non sai chi sono io!" gli ho detto. E lui mentre scappava: "Er nonno de Hulk!"».

«Di chi?».

«Boh».

«T'avrà preso per qualcun altro».

Ci siamo fatti una bevuta e un paio di risate ma quello sguardo di Filippo lo conosco. È lo stesso di tutti i vecchi quando si sentono sconfitti, quando si rendono conto che tutto intorno a loro è più veloce, più forte, e l'unica cosa che possono fare è mettersi in disparte, al limite brontolare un po' sperando che qualcuno non se l'abbia troppo a male. È la sensazione di sconfitta che ammazza i vecchi: perdono contro il direttore dell'ufficio postale, contro l'idraulico farabutto, contro la commessa ignorante e alla fine perdono pure la voglia di vivere.

Non mi rompessero le scatole con il pianeta che va a rotoli per colpa dei nostri consumi smodati. Io vivo con cinquecentotrentasei euro al mese, uso solo i mezzi pubblici e tutta la casa è illuminata da quattro lampadine da sessanta watt, mai accese contemporaneamente. Sono un virtuoso della spesa, compro solo ciò che so di riuscire a consumare e per gli attacchi di fame incontrollabili ho sempre una scorta di gallette di riso soffiato che costano poco e saziano subito. In queste cose ho avuto una grande maestra. Per la mia famiglia l'olio era un lusso, mia madre dopo aver fritto non lo buttava mai, lo filtrava con un passino imbottito di ovatta e lo riutilizzava anche tre volte. Neanche il pane secco si buttava mai, «È peccato mortale!» diceva. Lo bagnava con l'acqua, aggiungeva un uovo, un po' di pepe, una quantità irrisoria di carne macinata e faceva le polpette. Il vino diventava aceto, la pasta avanzata timballo, il sugo rimasto nei piatti, severamente vietato fare la scarpetta, diventava condimento per le bruschette del giorno dopo. Era una forma di resistenza la sua, una guerra senza regole contro la povertà.

La quarta settimana per me più che un problema è una seccatura. Non sono di quelli che può dire: "Non so come arrivare alla fine del mese". Sì che lo so, mi basta non fare più un cavolo e regalarmi, come adesso, una bella sosta di fronte al monumento ai caduti della Montagnola, per meditare su chi sta peggio di me.

Ettore attraversa la piazza con fare circospetto e si avvicina alla panchina con un buon passo. Non c'è che dire, dieta e allenamento cominciano a funzionare.

«Andiamo all'edicola a comprare il *Corriere*» mi dice sottovoce.

«Magari l'avrà già comprato qualcuno al centro».

Ettore si guarda intorno. In piazza con c'è anima viva ma lui controlla di nuovo.

«Ci sono novità, andiamo all'edicola».

Vista la serietà del suo volto, mollo a malincuore la panchina con vista sul monumento ai caduti e lo seguo.

La Montagnola è un quartiere rosso, di simpatizzanti di destra ce ne sono pochi e quei pochi sono schedati meticolosamente da Attilio, il giornalaio. Chiunque acquisti giornali diversi dal *Manifesto*, *L'Unità* o *Repubblica* finisce sotto osservazione. Lo fa per uso personale, per sapere a chi deve bloccare improvvisamente la vendita dei fascicoli e dei dvd sul Terzo Reich o sul ventennio fascista. «Pensano di passare per appassionati di storia» dice con orgoglio, «ma io li riconosco, sono solo degli esaltati che godono nel vedere i soldatini che marciano in fila con il braccetto alzato. Non mi fregano, in venticinque anni non ce n'è stato uno che sia riuscito a finire la raccolta!».

«Buongiorno, vorrei il *Corriere dello Sport*» gli dice Ettore con freddezza, come se lo non lo conoscesse da una vita.

«È fortunato, ne è rimasta una copia» risponde Attilio con uguale freddezza.

In realtà di copie ce ne sono parecchie, capisco che si stanno parlando in codice. E siccome Attilio aggiunge una bella ammiccata se ne accorgono anche i due clienti dietro di noi. Usciamo con il giornale piegato sottobraccio, appena fuori Ettore apre la prima pagina e mi fa sbirciare dentro. C'è un foglietto con una lunga lista di nomi e in fondo un numero di telefono scritto bello grande.

«Le persone che non devono sapere nulla della nostra operazione… e un contatto!» mi bisbiglia Ettore.

«Quale contatto?» chiedo.

Ettore si guarda intorno.

«Una donna».

«Quale donna?».

«Sssh! È quella che organizza le manifestazioni pro Berlusconi. Dobbiamo infiltrarci».

«Ma davvero sono organizzate?».

«Angelo» mi risponde allargando le braccia, «ricordati da dove viene quell'uomo e che lavoro faceva. È sempre tutto organizzato, è sempre tutto uno show».

Abbiamo telefonato a Filippo e siamo passati a stanare Osvaldo. Gli abbiamo rivelato l'intenzione di infiltrarci tra i sostenitori di Silvio, poi gli abbiamo raccontato della frezza verde di Filippo, che deve assolutamente vedere. Alla fine lo abbiamo persino minacciato, accusandolo di tradimento: niente da fare, era sbronzo marcio, aveva lo sguardo assente, non siamo riusciti nemmeno a fargli socchiudere la finestra. L'umiliazione al supermercato è stata un colpo troppo duro per lui.

Lasceremo passare altre ventiquattr'ore, quarantotto al massimo, poi se non si presenterà spontaneamente ricorreremo al piano d'emergenza, che per fortuna è molto semplice: basta fingere che uno di noi sia in difficoltà e presentarsi alla sua finestra dicendo: "Un compagno è nei guai, ha bisogno di noi". Abbiamo smesso di chiamarci "compagni" negli anni Ottanta, ma il potere di quella parola è rimasto intatto.

Seduti in disparte a un tavolino del centro studiamo la lista di Attilio. Più o meno sono le persone che avevamo già individuato, le uniche che avevamo visto sorridere alle barzellette del premier. La cosa ci conforta anche se in realtà una eventuale fuga di notizie non mi sembra un grosso problema. I pettegolezzi dei vecchi si spargono tra vecchi e se pure qualche chiacchierona dovesse raccontare al figlio che un gruppo di ultraottantenni sta pianificando un attentato al premier, le possibili reazioni sono due: farsi una risata o ricoverare la vecchia.

41.

IL PUNTO "G" DELLE DONNE È
L'ULTIMA LETTERA DI SHOPPING.

Ecco, lo sapevo. Me lo ripeto mentre esco di casa come una furia, mentre aspetto l'ascensore e mentre raggiungo Filippo che mi aspetta al portone.

«Cos'è questa faccia? Guarda che non ha niente di grave» mi dice.

«Ma l'hai sentita? Che ti ha detto?».

«Angelo, stai calmo, l'ha sentita Fernanda. Dice che non respira bene, ha tipo l'asma o qualcosa del genere. Fernanda voleva fare un salto in farmacia per lei ma siccome sta sola al bar mi sono offerto io, tutto qui!».

Addio alla mia vita alla Orlando e Giuditta, penso. Succede

sempre così alle persone che non sono mai state malate, quando tocca a loro è sicuramente qualcosa di grave.

Ci precipitiamo in farmacia, saltiamo la fila, prendiamo uno spray bronchiale e ci facciamo cacciare in malo modo perché alla cassa si è creato un problema con il resto e mi sono saltati i nervi. Ringrazio la ginnastica mattutina perché arriviamo in un lampo sotto casa di Lauretta.

«Manfredini non c'è oggi...» mi dice il portiere.

«E chi se ne frega, andiamo dalla De Bernardinis» dichiaro.

Suoniamo alla porta di casa e per non perdere neanche un minuto inizio a scartare il medicinale. Finalmente sento la sua voce, ma è strana, non ci vuole aprire. Dice che non è pettinata, che è vestita male. Le rispondiamo che non siamo esattamente due modelli di Armani e dopo dieci minuti di questa manfrina si decide ad aprire la porta.

«*Je suis désolée*, ci stanno un po' de cose in mezzo, devo sistemare...» e ci indica il salotto.

«Non ti preoccupare» dice Filippo, non so se a lei o a me.

Mi si ghiaccia il sangue lo stesso. Sapevamo che Lauretta soffre di disposofobia ma solo ora, mentre per la prima volta entriamo in casa sua, capiamo la portata di questa strana malattia. Quel "po' di cose in mezzo" è in realtà una vera montagna di buste di plastica piene di cianfrusaglie che occupa l'intero appartamento. Tutte le pareti, in ogni stanza, sono rivestite da cumuli di sacchetti fino a un metro e mezzo d'altezza, in casa restano sgombri solo dei sottili corridoi che permettono difficoltosi spostamenti da una stanza all'altra. Questa sindrome da accaparramento compulsivo la porta ad accumulare di tutto, vestiti, scarpe, cellulari, videoregistratori, macchine fotografiche, bilance, bambole. Tutta roba vecchia e inutile, spesso rotta. Dove la rimedi è un mistero, perché la accumuli no. Mi ricordo i battibecchi con il marito che le rimproverava di riempire gli armadi di chincaglierie, evidentemente la situazione dev'essere sfuggita a ogni controllo dopo la sua morte. Credevamo si trattasse di una piccola mania, del bisogno di sicurezza di una persona cresciuta con la mancanza di tutto. Di quanto fosse grande questo bisogno ce ne accorgiamo solo adesso.

«Metteteve comodi che ve preparo un bel caffè» ci dice.

Raggiungiamo in fila il divano e ci sediamo spostando un paio di buste. Nell'attesa ne apro una. È piena di pattini a rotelle per bambini. Filippo ne apre un'altra e trova una collezione di paperelle di ceramica. Immagino Lauretta seduta sul tappeto mentre le tira fuori dalla busta e le dispone come farebbe una bambina, quelle piccole vicine a quelle grandi, per formare tante famigliole, le altre sparse in un laghetto immaginario. Il pensiero mi strappa un sorriso.

«Pazzesco, eh?» mi fa Filippo.

Già, è pazzesco, a vederci così non si direbbe, ma non c'è uno solo di noi che sia passato indenne dalla guerra. Una paura nascosta, una mania irragionevole o un tic misterioso lo abbiamo tutti, tranne Ettore forse, l'unico che i segni li ha belli evidenti sulla pelle.

Filippo passa un dito su una busta e mi mostra il polpastrello ingrigito.

«Qui ci vorrebbe Antonio...» dico.

La polvere è ovunque e, anche se la cosa mi rattrista, capisco che l'origine dell'asma di Lauretta è chiara e non grave. Nulla che non possa risolversi con una bella pulita.

42.

Il nostro progetto di attacco al cuore dello stato riceve un aiuto insperato dallo stato stesso. Arriviamo al centro e troviamo un gruppo di anziani inferociti che circondano il bancone di Fernanda. «Ma è assurdo!», «Nun ce se capisce niente!», «Ce vòle 'no scienziato!» dicono. Il passaggio al digitale terrestre è stato varato con la consueta attenzione alle problematiche degli anziani che ora, abbandonati a loro stessi anche dal più disponibile dei figli, sono in rivolta. *Basta acquistare un decoder, al prezzo di trentasette euro, collegarlo all'antenna tv e si potranno vedere tanti nuovi bellissimi canali*, diceva la pubblicità. Omettendo che tra il collegamento dell'antenna e la ricezione dei nuovi bellissimi canali ci sono da compiere una serie di operazioni assolutamente incomprensibili servendosi di un telecomando aggiuntivo con ben trentanove pulsanti, e di un menu che sembra crittografato dalla CIA. A noi è andata bene, il decoder ce l'ha installato Manu e se ci capita di premere qualche pulsante strano che manda all'aria tutta la sintonizzazione, adesso possiamo sempre contare su Antonio. Questi poveretti invece, dopo aver fatto correre figli e nipoti da una parte all'altra della città per mesi, ora non sanno più come fare.

Ci sediamo al tavolo e assistiamo ai tentativi di Fernanda di spiegare il funzionamento dell'aggeggio ai vecchi indiavolati. Neanche lei, con tutta la buona volontà, riesce a venirne a capo. Dopo una ventina di minuti ci decidiamo a intervenire.

«Fernanda, fammi vedere quel libretto di istruzioni» dice Ettore stendendo un braccio verso il bancone e attendendo che la donna colmi i rimanenti sei metri.

«Ma che te s'è rotto er deambulatore?».

Ci alziamo e ci facciamo largo tra le signore. Arrivati al bancone Fernanda accoglie Ettore con un inchino ironico. Lui prende il libretto dalle sue mani e inforca gli occhiali mentre lei si mette comoda, sullo sgabello che usa per guardare gli spettacoli alla tv.

«Dunque… allora… premere Menu…» mormora Ettore.

Prende il telecomando, preme il tasto Menu e accoglie con un sorriso di soddisfazione la comparsa di una finestra blu al centro dello schermo. Lancia un'occhiata di sufficienza a Fernanda e torna a leggere.

«Effe tre… no, effe due… andare sul canale… ecco, Rai Uno… premere tasto Ok… ecco».

La finestra blu scompare, insieme a Rai Uno.

«Questo lo sapevo fa' pure io...» polemizza una vecchietta.

Proviamo a turno ma rifare ogni volta tutta la procedura è snervante, alla fine c'è sempre qualcosa che va storto e i canali non restano in memoria. La spuntiamo solo a tarda sera, eseguendo operazioni che non saremmo mai in grado di ripetere. Siamo soli, persino Fernanda si è stancata di prenderci in giro e adesso non c'è nemmeno un cane a cui dire: "Ecco fatto!".

Hanno questo modo per farti capire che sei di troppo: ti cambiano le cose sotto il naso, ti dicono che è il progresso, poi ti dicono anche che è semplicissimo e che quindi la colpa è tua se non riesci ad adattarti. È brutto tornarsene a casa con l'idea che ti stanno tagliando fuori.

L'idea per il business ci viene qualche giorno dopo, quando veniamo a sapere che alcuni antennisti stanno salassando i vecchi del quartiere. Arrivano a casa loro, sintonizzano i canali in quattro e quattr'otto e se ne vanno con venticinque euro in tasca. Ai poveretti basta premere un tasto sbagliato per ritrovarsi il televisore completamente sballato. Sotto la paziente guida di Antonio abbiamo riscritto un nostro manuale semplificato e ci siamo organizzati per aiutare gli anziani in difficoltà alla modica cifra di dieci euro a intervento. Riceviamo tre chiamate il primo giorno, dodici il secondo. Soccorriamo vecchiette sintonizzate da due giorni su Cartoon Network, facciamo interventi di emergenza a ridosso delle partite della nazionale e delle puntate delle fiction. Ma oltre ai soldi arrivano anche tante soddisfazioni: le prime telefonate di giovani in difficoltà. Sono per lo più uomini e donne che non hanno tempo da perdere e che chiamano il tecnico anche per cambiare una lampadina. E sì, saranno pure piccole cose, ma arrivare a casa di un trentenne in crisi di panico perché sta per iniziare il suo telefilm preferito e sistemargli quel marchingegno, pensato apposta per portare nel futuro della comunicazione i giovani come lui, è una soddisfazione che ti rimette al mondo. Agiamo veloci e non di rado soccorriamo due volte nello stesso giorno la stessa persona. Ma noi non siamo come quegli antennisti, non vogliamo approfittare della situazione, e allora ci mettiamo a studiare un mascherino di cartone da applicare sul telecomando del decoder per coprire tutti i tasti pericolosi o inutili che, va detto, sono ben più della metà.

«Ci vado io!» dico dopo l'ennesima chiamata.

«No no, la telefonata è arrivata a me e ci vado io!» ribatte Filippo.

«Va bene, allora andiamo insieme... ma facciamo a modo mio».

È arrivata una richiesta di assistenza dal parroco. Ci congediamo da casa della vedova Melani, sintonizzata da una settimana sulle repliche di una vendita di capolavori dell'arte contemporanea, e raggiungiamo la chiesa. Don Sebastiano ci attende in sagrestia. Proprio sulla porta anticipo Filippo per dire la battuta che mi sono preparato lungo la strada.

«I vitelli grassi sono di nuovo all'ovile!» annuncio con un sorriso ironico.

Filippo e don Sebastiano mi guardano perplessi. Chissà perché il mio riferimento biblico non ha sortito l'effetto che speravo. Il parroco sospira e senza commentare ci guida nella stanza della televisione.

«Non vuole saperne di funzionare, se potete dargli un'occhiatina...» dice.

L'occhiatina è come *l'antipastino*, costa sempre dieci euro vorrei dirgli, ma preferisco mettermi al lavoro e per chiarire la questione faccio sembrare tutto maledettamente complesso.

«Quali canali vuole?» chiede Filippo.

«Be', tutti i principali» risponde il parroco.

E io sintonizzo per primo Telepace. Poi fino al canale nove tutte le tv e le radio vaticane. Arrivato al numero dieci gli concedo Rai Uno.

«C'è tutto, direi...» e lascio il telecomando nelle mani di don Sebastiano.

«E gli altri?» mi chiede.

Mi mostro molto sorpreso per la richiesta. Sintonizzo Rai Due, Rai Tre, poi i canali Mediaset, sperando che sullo schermo compaiano delle vallette in perizoma. Vista l'ora, vengo esaudito all'istante. E così, con il parroco in soggezione, pretendo i dieci euro prima di sintonizzare i canali sportivi.

43.

«Antonio, non ti agitare. È una casa un po' particolare, quindi non fare caso a ciò che vedrai, dài giusto una pulitina superficiale e via. D'accordo?» dico con tono rassicurante.

«Certo segnòr, pulitina» mi risponde lui con il consueto sorriso.

«Vedi come gli passa ora...» sussurro a Filippo.

Trascorriamo svariati minuti dietro la porta a convincere Lauretta che l'aiuto del filippino è indispensabile, che nemmeno la migliore donna di casa sarebbe in grado di spolverare tanta roba, che non è un disturbo e che la piantasse di rompere perché è un ordine del medico che è pronto a farle buttare tutto dai funzionari della Asl! Quest'ultima minaccia convince Lauretta ad aprire, ma solo dopo averci strappato la promessa che il filippino non butterà via niente.

«Buttare cosa, segnòr?».

«No, niente... la signora è una collezionista».

Lauretta apre la porta, Antonio sorride, saluta educatamente e appena entrato caccia un urletto che così acuto neanche Manu ne sarebbe capace.

«Nun ho fatto in tempo a rassetta'...» si giustifica Lauretta.

Guardo Antonio che cammina basito tra i cumuli di buste e, addio pulizie, penso. Questo adesso ci piglia per matti e riparte con il primo aereo per le Filippine.

«Bambole segnòra?...» chiede indicando un grosso sacco nero.

«*Oui*... ne ho anche altre».

«Celulari?... spremiagrumi?... machine potograpiche segnòra?».

Antonio si volta verso di me con gli occhi sgranati, l'educato sorriso con il quale si è presentato inizia a perdere smalto. Faccio un disperato tentativo per convincerlo a restare. Strofino pollice e indice della mano destra per dargli a intendere che lo pagherò bene. Evidentemente nel linguaggio filippino dei segni deve significare tutt'altro, qualcosa tipo: "Da questo momento sarò il tuo umile schiavo", perché Antonio prende una penna da una busta di penne, un blocchetto da una busta di blocchetti e scrive una lista di cose che dovrò comprargli subito.

«Acqua ossigenata, aceto ed essenza al pino silvestre?» chiedo.

«Acqua osigenata sterelizza, aceto sgrasa ed esenza toglie odore cattibo di aceto. È mia miscela, punziona segnòr...».

«E le cento scatole di plastica trasparente a cosa servono?».

«Tu troba a perramenta... questa è roba bella e così si sciupa, ba tuta ordinata!».

Resto per un attimo interdetto, poi capisco e gli strizzo l'occhio.

«Certo che è roba bella, infatti mica dobbiamo buttare niente...».

Di scatole di plastica ne prendiamo solo cinquanta perché dopo mezz'ora di contrattazione siamo comunque fermi a centocinquanta euro e soprattutto perché dobbiamo riuscire a buttare almeno una buona metà di quelle cianfrusaglie. Senza battere ciglio attingiamo dal Fondo Missione il denaro faticosamente guadagnato con le riparazioni ai decoder: per la salute di Lauretta sono soldi spesi più che bene. Torniamo a casa accordandoci su alcuni espedienti per distrarre la nostra amica e riuscire a buttare più cose possibile. Con l'aiuto di Antonio dovremmo farcela facilmente, ci diciamo. Ma questo prima di entrare in casa e trovarli seduti per terra che giocano con le pentole come due bambine.

«Guarda pentole, segnòr! Guarda quante!».

Comincio ad avere un sospetto ma finché non arriva il garzone del ferramenta con il primo carico di scatole non riesco a capacitarmi. Decidiamo di separare prima le buste con i vestiti perché sono quelle che raccolgono più polvere. Prepariamo una scatola per gli indumenti di cotone e una per quelli di lana. Tra magliette di dubbio gusto e fattura spunta una felpa.

«Mettila nel sacco che questa la buttiamo...» bisbiglio ad Antonio.

«Pelpa no, non si butta, è buona» mi risponde scuotendo la testa.

«Ma come buona, è bucata! E poi la signora mica mette le felpe!».

«Segnòra mette toppetta così può regalare pelpa. Non si butta!».

C'è stato qualche momento di tensione quando Antonio ha iniziato a darci dentro con il suo spruzzatore e io ne ho approfittato per far sparire un tegamino ammaccato. «Segnòra Laura! Segnòr Angelo butta padellina buona!» ha urlato lo spione. «Ma fate come diavolo vi pare!» ho detto e mi sono messo in disparte a guardare e a criticare ogni mossa con un mugugno. Dopo una mezz'oretta, però, ho iniziato a godermi lo spettacolo. La scena non è così diversa da quella con le paperelle che avevo immaginato, la stanza inizia a profumare come un bagnoschiuma e le buste lasciano lentamente il posto a ordinate file di scatole. Le risate di Lauretta hanno l'effetto di una mano di bianco sulle pareti ingrigite, illuminano la casa, che adesso vorrei fosse anche la mia. Da una busta saltano fuori dei gattini giapponesi di ceramica che muovono la zampetta in segno di saluto. Ciao ciao tristezza, dicono.

44.

Alle cinque meno un quarto sono già al parco ad attendere con ansia l'arrivo dei miei amici, di Ettore soprattutto. Camminando su e giù davanti alla panchina avrò già percorso un centinaio di metri, ma ho tutta l'intenzione di farmeli scalare dal conto della camminata mattutina. Eccoli, finalmente. Li aspetto a braccia conserte, con un sorriso beffardo sulle labbra che il più dotato in diottrie dei tre riesce a mettere a fuoco solo a un paio di metri, quando ormai è troppo tardi.

«Mmmh... occhio che gli girano...» mormora Filippo ai due.

«La dieta dei marines e dei rangers, eh? Il *generale* Dukan, vero?» sbraito esibendo una rivista.

Ieri pomeriggio, al centro, ho ingannato il tempo sfogliando una delle riviste di Fernanda. A un certo punto l'occhio mi è caduto su un bel servizio a doppia pagina dedicato a questa dieta del cavolo, con tanto di foto di attrici e modelle in costume da bagno o vestito da sera attillato, tutte inquadrate di schiena.

«È una dieta per le chiappe!» urlo.

«Fa' vedere... Ah, però!» dice Filippo prendendo la rivista.

«Ossignore!» esclama Osvaldo.

«Be'?» mi fa Ettore. «I glutei non sono forse dei muscoli essenziali per una corretta camminata?».

«Avete capito? Ci ha fatto fare una dieta per modelle! E piantatela di guardare quelle foto!» urlo a Filippo e Osvaldo.

«Contano i risultati direi! Senti qui!.. Dài, senti qui!» mi dice Ettore, e si gira porgendomi il sedere.

«Ma smettila!».

«Tocca, invece di fare l'isterico! Tocca qui!» e piegato in due si dà una pacca sul sedere.

«Fatela finita che vi stanno guardando...» bisbiglia Filippo.

«Chi?» chiedo.

Ahinoi, Fernanda. È ferma sul marciapiede a una trentina di metri e ci guarda. Naturalmente si sono accorti di lei solo quando mi sono deciso a toccare le chiappe di Ettore, e il tentativo di trasformare la palpata in una spolverata alla tuta temo sia risultato inefficace. Fernanda scuote la testa. Anche se è troppo distante da me per leggere la sua espressione, sono sicuro che ha le sopracciglia inarcate e la fronte leggermente corrugata.

«Ancora lei... quella ci spia!» dico.

«Ma allora la balla della cicoria non se l'è bevuta...» conclude candidamente Filippo.

Archiviato il caso della dieta del generale Dukan, che poi a farla seriamente era stato solo Ettore, ci diamo sotto con il nostro allenamento giornaliero. Camminata a passo veloce, esercizi aerobici per busto e braccia, e stretching finale. Il doppio *cloc!* dell'anca di Ettore mette fine alla seduta. Davanti alla panchina c'è una chiazza di terra polverosa, Ettore come al solito non resiste e servendosi di un rametto secco inizia a tracciare la piantina dell'agguato. Disegna tre rettangoli uno dietro l'altro, le tre auto blindate; otto cerchietti indicano la posizione della scorta; quattro X segnano le posizioni di partenza del commando.

«Servirebbero una dozzina di complici» dice Ettore.

«Perché così tanti? Avevamo detto di meno l'ultima volta» gli rispondo.

«Per essere sicuri. In fondo i nostri complici non rischiano nulla, il loro ruolo sarà fondamentale ma penalmente irrilevante. Quindi perché tenerci bassi?».

«Per trovarne dodici dovremmo contattare almeno una cinquantina di persone, e questo è rischioso. Addio segretezza».

La questione cade nel vuoto, il messaggio in codice lanciato dalle loro scrollate di spalle è chiaro: perché devi rovinare la festa a tre poveri vecchietti per una volta che hanno trovato qualcosa di bello da fare che non sia starsene su una panchina a dare il pane ai piccioni?

Un ragazzo che sta facendo footing si avvicina alla panchina. Ettore cancella subito quei segni incomprensibili con il palmo della mano. Perché sia chiaro: quando pare a lui la segretezza è fondamentale.

45.

Diffidate di coloro che non sanno ridere!

Al centro di riabilitazione hanno detto che non ci sono più i fondi per l'assistenza a Domitilla. Non fa progressi significativi, e non possono più permettersi di assisterla. Domitilla ha quarantadue anni, non parla, cammina solo se la madre la trascina per mano, dimostra felicità o scontento battendo i polsi, come se applaudisse. Dopo anni di terapia ha raggiunto dei piccoli traguardi, adesso si veste da sola e ogni tanto capita che ti guardi negli occhi. Questi progressi per la signora Ines erano più che significativi, rappresentavano la speranza che la teneva in vita. Ritrovarsi a settant'anni con una figlia grande e grossa ferma all'età di due è un dramma che andrebbe affrontato con un battaglione di specialisti al seguito. «Due anni è l'età migliore per una mamma» le ha detto la signora Belsini, una specialista delle uscite a sproposito. Certo, poteva anche dirle: "Sempre meglio di un figlio che resta bloccato all'età di quattordici anni e per tutta la vita ti rompe le palle perché vuole il motorino"... In certi casi più che dire bisognerebbe fare, in particolare fare quello che lo stato non fa, e in questo noi vecchi ci stiamo specializzando. Mancano gli asili? Ci siamo noi. Manca una rete sociale di assistenza alle donne incinte? Siamo a disposizione. Mancano le strutture per i disabili? Eccoci. Solo che Ines è il tipo di signora che ha sempre paura di disturbare,

Fernanda ha dovuto faticare non poco per convincerla che no, non era un problema, non era assolutamente un problema se ce la lasciava ogni tanto per qualche ora.

Il primo giorno hanno giocato a fare le donne di casa. Fernanda lavava i bicchieri del bar, li asciugava, puliva il bancone, faceva i caffè, sistemava i dolci; Domitilla teneva un dito sotto l'acqua del rubinetto e fissava il lavandino. La volta dopo hanno giocato alle giardiniere: Fernanda svuotava i vasi, raccoglieva la terra, prendeva le piantine nuove e le interrava; Domitilla batteva i polsi. Adesso è difficile dire perché, ma a turno tutti quanti ci siamo voluti prendere cura di lei. Penso che dentro ognuno di noi ci sia lo spirito dell'educatore, la saccenza di chi sa fare le cose meglio degli altri, e soprattutto l'istinto a prendersi cura dell'unico essere umano nei paraggi che ci appare più debole. Lauretta ha portato al centro una busta piena di pennelli e colori e ha provato a farla dipingere. Il cavalier Bisacca ha tentato un fallimentare esperimento col Sudoku, in base al convincimento che «a volte le persone con dei deficit hanno poi un talento nascosto».

Mentre il comune trova il denaro per asfaltare via Bonifaci e due settimane dopo dare il via libera ai lavori della municipalizzata del gas che spacca tutto per cambiare le tubature, Domitilla è di turno con noi al campo di bocce. Le abbiamo spiegato il gioco, mimato i movimenti corretti e illustrato alcuni trucchi con una breve partita dimostrativa. Lei è rimasta ferma con la palla in mano, nonostante il nostro entusiasmo non ci ha nemmeno degnati di un'occhiata.

«Questa non si toglie» dice Ettore a Domitilla.

Osvaldo tira e, come sempre da dieci anni a questa parte, colpisce in pieno la palla di Ettore sparandola lontana dal boccino.

«Eh, ma che culo!».

«È der tipo comunemente chiamato "classe"» risponde Osvaldo sfregandosi le unghie sul gilet.

Un tonfo sordo ci distrae. La palla che Domitilla stringeva in mano ora rotola di fronte ai suoi piedi.

«Che, l'ha tirata?» chiede Osvaldo.

«Non lo so, ero girato» dico.

«L'ha tirata!» urla Ettore.

«Ma no, aspetta».

«Fernanda! Lauretta! Guardate cos'ha fatto Domitilla!».

«Magari le sarà caduta, no?».

Troppo tardi. Ettore si cimenta in una prova balistica per dimostrare che se la palla le fosse semplicemente caduta non sarebbe rotolata così lontano. Fernanda e Lauretta accorrono strillando, Domitilla comincia ad applaudire per l'agitazione. Sono tutti troppo eccitati all'idea che abbia dato un segnale, nessuno vuol darmi retta.

«Pensa quando 'o diremo a Ines!» grida Osvaldo.

Sono pazzi, così la faranno morire, quella poveretta.

«Ma non ne siamo sicuri, perché illuderla?» dico.

«Angelo, calmati. Ma cosa vuoi che succeda se glielo diciamo? Pensi che s'illuda di avere una campionessa di bocce in famiglia?» mi dice Filippo prendendomi in disparte.

«Ma no, non è questo...».

«Pensi che si metta a urlare al miracolo e si convinca che la figlia sia guarita?».

«Ma no, non è neanche questo».

«Angelo, devi smetterla. Il massimo che potrà accadere è che Ines decida di lasciarci Domitilla più spesso».

Poi mi prende sottobraccio e mi fa fare qualche passo lontano dagli altri.

«Dimenticati di Luigi, del soldato tedesco e ogni tanto anche di Ada. Non ci sono sempre tragedie in agguato».

Ecco, è proprio questo.

46.

Di ritorno dalla spesa settimanale con due buste piene di verdure prese al banco di Lauretta, mi rendo conto che c'è una bella novità: arrivo all'incrocio davanti al portone del mio palazzo senza avvertire il minimo fastidio alle gambe o alla schiena. E non è l'unica. Inizio l'attraversamento con il semaforo pedonale sul giallo e per la prima volta supero la doppia corsia senza ritrovarmi in mezzo alla strada con i motorini che mi zigzagano intorno. I nostri allenamenti stanno funzionando. Ormai siamo alla soglia della mezz'ora di camminata veloce, senza contare le scarpinate da una parte all'altra del quartiere per i nostri interventi sui decoder. Quasi quasi oggi azzardo anche le scale. Sono anni che non le faccio senza esservi costretto da qualche guasto all'ascensore. Ma sì, mi sento fresco e sono appena due rampe. Ecco, questo è un bell'esercizio, devo dirlo ai ragazzi, almeno una rampa di scale al giorno. La seconda inizio a sentirla, ma il pianerottolo dove sostavo per imprecare contro la lentezza delle riparazioni l'ho superato senza il minimo problema. Un po' di affanno ce l'ho, certo, però davanti mi restano solo tre gradini. Uno, due e… tre. Eccomi, il campione mondiale di trekking geriatrico è arrivato al traguardo! A bocca spalancata simulo il clamore della folla, alzo le braccia al cielo e non manco di salutare il mio pubblico: due ragazze che mi stanno osservando perplesse attraverso i vetri dell'ascensore.

Entro a casa, mollo le buste a terra e mi dirigo verso il telefono: ho voglia di dire a qualcuno che in fondo la vecchiaia è solo una mancanza di allenamento, e che basta davvero poco per tornare ad ampliare il raggio d'azione. Prendo il telefono con l'idea di chiamare Filippo, ma il numero che compongo è un altro.

«Lauretta!».

«Angelo, che c'è? Che te sei dimenticato?».

«No, niente, volevo dirti che sono a casa».

«Ah… bene».

«Sì, ma non sai come».

«Angelo, che t'è preso?».

«Stasera facciamo due passi insieme?».
«Io e te? *Une promenade?*».
«Sì, io e te, due passi insieme».

Ho in mente un programma dettagliato per la *promenade* con Lauretta. Ho passato il pomeriggio a scrivere e riscrivere tutta la scaletta: ore diciotto e quarantacinque, giro al parco per raccolta margheritine; ore diciannove, attesa sotto casa di Lauretta e consegna fiori con frase sdrammatizzante: "Le ho viste mentre passeggiavo e non ho resistito" (valutare possibilità di complimento a capelli, vestito o scarpe); poi, a seguire, passeggiata fino al bar stabilendo in loco l'opportunità di prenderla o meno sottobraccio (eventualmente sfruttare l'attraversamento della strada), tappa di una mezz'oretta al bar per aperitivo e salatini seduti al tavolo, pagamento del conto e camminata nel parco con sosta sulla panchina fino al tramonto. Escursione termica prevista: sei gradi. Prepararsi a possibile abbraccio.

Sulla prima parte, sulla raccolta delle margheritine intendo, vado alla grande, poi arrivo sotto il portone ma sono in forte anticipo e inizio a passeggiare su e giù. L'attesa mi fa venire l'ansia. Quando la vedo scendere mi accorgo che i fiori si sono afflosciati, forse ho stretto troppo il pugno. La saluto e, siccome l'ultima parola l'ho detta quattro ore fa, dalla gola mi esce solo uno schiocco di catarro.

«Che hai detto?» mi chiede.

Mi schiarisco la voce con un colpetto di tosse.

«Ciao».

«'Ndo me porti?».

«Che ne dici di un aperitivo al bar e poi due passi?» propongo con atteggiamento finto pensoso.

«Sì sì, bello!».

Ottimo, il piano procede alla grande.

«Uno schianto le tue scarpe, che bel modello!» dico simulando una certa competenza.

«Sono correttive».

Decido di non prendere ulteriori iniziative e ci avviamo verso il bar. Di camminare sottobraccio non se ne parla, anche perché sulle strisce pedonali incappiamo nell'unico adolescente guidatore di microcar che si ferma a debita distanza e attende il nostro passaggio senza provare a svicolare. Devo prendergli il numero di targa e ricordarlo nel mio testamento.

Ci sediamo al bar, ordino due bitter e pistacchi. Giusto all'ultimo mi sono ricordato che è allergica alle noccioline.

«*Garçon, un peu des cacahouètes, s'il vous plaît*» dice Lauretta.

«Uì madàm!» risponde prontamente Enzo.

Neanche il tempo di pensare: "Però, in gamba Enzo, se la cava anche con le lingue" che dal bancone inizia a sbracciarsi verso di me per sapere cosa diavolo ha chiesto. Scuoto impercettibilmente la testa e lui si cava dall'impaccio portandoci un vassoio con ben cinque ciotoline: pistacchi, noccioline, olive, salatini e patatine. Lauretta affonda le dita nelle noccioline.

«Ah, le mangi adesso?» le chiedo.

«Le ho sempre mangiate... so' li pistacchi che me risurtano indigesti».

È Fernanda che è allergica alle noccioline, maledizione. Mi sta andando il sangue al cervello per la rabbia, possibile che non ne azzecco una? Adesso basta, lascio parlare lei e la pianto di fare l'imitazione di Filippo, io sono Angelo, con i miei trascurabili difetti e le mie mille qualità, miseria ladra!

«Che succede?» mi chiede Lauretta.

«Niente, perché?».

«Hai detto "miseria ladra"».

Credevo di averlo solo pensato, miseria ladra!

«Ah, scusa, mi sono ricordato che devo fare certi pagamenti...».

"Pagamenti" è l'ultima parola che dico, per il resto mi limito a un controcanto di monosillabi durante gli assolo di Lauretta. Mi parla dell'ultimo libro che ha letto, del progetto di aprire un cineforum al centro anziani, della studentessa del piano di sotto che riceve troppe visite maschili per essere solo una studentessa. Io ascolto, annuisco e penso che il suo profilo è la linea d'orizzonte del paesaggio più bello che abbia mai visto.

Lauretta è una gran chiacchierona, ma anche una come lei dopo mezz'ora di soliloquio inizia a essere in imbarazzo. Giocherella con il guscio di un pistacchio, sospira, m'incoraggia inutilmente con un sorriso. Tanto per onorare il programma passeggiamo fino al parco, in silenzio. Svoltando l'angolo di un palazzo siamo investiti da un venticello fresco, Lauretta si stringe lo scialle al collo e dice che ha freddo. La polpetta vegetale a base di margheritine che ancora stringo nella mano mi fa passare qualsiasi velleità di abbracciarla. Nel parco c'è un vecchio in gran forma, sta addirittura correndo, accidenti a lui. Certo non ha la corsa elastica di un ragazzo, ma diavolo se è allenato. Sfiora il terreno con i piedi, senza gravare la colonna vertebrale di sobbalzi dannosi.

«Anvedi come corre Filippo...» mi dice Lauretta.

Io non porto gli occhiali, da almeno vent'anni vado ripetendo a tutti che da lontano ho dieci decimi e a quei "Beato te" ci sono affezionato, quindi metto a fuoco il podista solo quando è a una quindicina di metri da noi. Ha ragione, è proprio Filippo.

«A Fili'! Ma che fai?» gli chiede Lauretta.

«Eh, che faccio... rispetto gli impegni, io...» e si esibisce, il disgraziato, in una leggiadra corsetta sul posto.

Resto interdetto.

«Se mi si dice che tutti i giorni alle cinque si viene a correre al parco, io alle cinque in punto sono al parco. Vi ho aspettato mezz'ora e poi ho iniziato...» e mi lancia un'occhiataccia.

«Ma perché, correte tutti i pomeriggi?» chiede Lauretta.

«Magari, Filippo, si alludeva alle cinque di mattina... e

magari, se ci pensi, ti ricorderai che infatti stamattina c'eravamo tutti... c'eri pure tu» dico sperando di riattivargli la circolazione sanguigna nel cranio.

«Correte tutte 'e matine?» chiede ancora Lauretta.

«Seee vabbè, mo' finisce che sono rincretinito... Adesso vado che c'è vento e mi si gela il sudore addosso» dice Filippo e riparte.

Scuoto la testa sconsolato e con una battuta sul rincoglionimento del nostro amico riesco a tamponare la curiosità di Lauretta. Certo però che bel passo che ha, e ci credo, se tutti i pomeriggi torna al parco si sta sottoponendo a un superallenamento. Dev'essere meraviglioso correre. Io mi accontenterei di riuscire a fare un centinaio di metri, senza pretese, con quella corsetta a filo del terreno, perché certo il passo svelto è già una bella conquista per un quasi novantenne, ma la corsetta...

«Aho', ma 'ndo vai?» mi urla Lauretta.

Soprappensiero ho accelerato il passo e l'ho lasciata qualche metro indietro, da sola. Dalla faccia che ha credo stia stilando la classifica delle peggiori uscite della sua vita e questa dev'essere quanto meno da podio. Ma ormai è fatta, ho rovinato tutto, o forse non ho rovinato proprio un bel niente perché se c'erano delle possibilità tra me e Lauretta, c'erano solo nella mia testa. Corressi come Filippo allora sì, mi vedrebbe come un appoggio solido per la sua vecchiaia, non come un vecchio rimbambito. Corressi come Filippo tornerebbe buono anche il piano "Achille Compagnoni".

«*Merci pour la promenade*, me ce voleva proprio» mi dice Lauretta con un sorriso incerto.

Deve passare davvero delle giornate orrende se trova lo spirito per ringraziarmi. Le sorrido, la saluto e le stringo la mano lasciandole sul palmo la polpettina tiepida. Di fronte al suo sguardo basito mi aggrappo a quanto prescritto dal mio programma.

«Le ho viste mentre passeggiavo e non ho resistito».

47.

«Uno, due, tre, calcetto!.. Uno, due, tre, calcetto!..» urla Matilde con il calore della governante tedesca.

È assurdo, fino a qualche tempo fa ce ne stavamo seduti a prendere per il culo quei vecchi patetici che sgambettavano a tempo di battimano e adesso guarda lì che facce. Tutte serie, tutte impegnate. Filippo è diventato il ballerino più bravo del gruppo e sculetta senza un minimo di pudore. Osvaldo ha già imparato a fare i passi senza guardarsi i piedi e ci scommetto che si allena pure a casa, davanti allo specchio.

«Passo indietro, passo indietro, passo indietro, ginocchio e battimano!» continua l'invasata.

Ettore è quello che mi fa incazzare di più perché santo dio, eri un carrista dell'Ariete, un po' di orgoglio ti sarà rimasto, no? Macché, si pavoneggia come una soubrette!

«Passo avanti, ginocchio e battimano! Passo avanti ginocchio… e rotazione di un quarto!».

Io me ne sto in ultima fila, nascosto dietro Lauretta e Fernanda, e ballo solo perché è un buon esercizio fisico, ma la mossetta con le spalle mentre sollevo il ginocchio col cacchio che la faccio.

«Più morbido, Angelo, sciogliti!» urla Matilde.

«Angeloo… più morbidoo…» rincara Ettore con tono sconfortato.

Sento la carotide che spara sangue nel cervello. Solo la paura di un ictus mi trattiene dal prenderlo a calci nel sedere. Come rappresaglia comincio a ballare ancora più svogliatamente e batto le mani fuori tempo. Tutti iniziano a guardarmi, ma io me ne frego e con lo sguardo vago altrove. Vago anche sul tavolo dove Ettore ha lasciato la giacca e il cellulare, che ora sta suonando. Approfitto di un "Uno, due, tre, calcetto!" per avvicinarmi e leggere il numero sul display. È il numero del nostro contatto!

«Ettore!» bisbiglio due file dietro di lui.

Niente.

«Oh! Pssst...».

E quello continua a ballare. È rigido come un palo del telefono e ha pure il coraggio di rimproverare Filippo: «Il calcetto lo devi dare incrociato» gli sta dicendo. Ma tu guarda!

«Ballerino Ettoreee!» urlo.

Vengo cacciato dalla sala in malo modo, provo a chiedere scusa almeno dieci volte ma mi chiudono la porta in faccia. La lezione del giorno è: mai interrompere un Alligalli.

Sorrido ad alcuni vecchi che mi guardano stupiti dal bancone del bar. Il sorriso dovrebbe dar loro a intendere che mica sono stato cacciato, no no, si è solo trattato di uno scherzo tra amici. E mi tocca anche spendere una risata accondiscendente quando dall'interno della sala arriva il commento di una vecchia inviperita: «Tocca fa' qualcosa, quello è proprio da ricovero». Mi ricovero sulla panchina più isolata e aspetto che i miei amici mi raggiungano.

Credevo si sarebbe trattato di un'attesa di pochi minuti, invece i deficienti si fanno vivi solo a lezione ultimata.

«Be', che c'era di così importante?» mi chiede Ettore.

Rispondo voltando la testa dall'altra parte e incrociando le braccia sul petto.

«Sembri Gregory...» mi dice quello stronzo di ex carrista.

48.

Il nostro contatto, al quale Ettore si è provocatoriamente presentato come "Aldo Gastaldi, devoto di Silvio", ci ha informato che il premier prenderà parte al congresso di Confindustria e all'uscita scambierà due parole con i fan, spontaneamente raccoltisi in attesa della sua apparizione. La notizia dà una brusca accelerata al nostro piano. Per cominciare abbiamo ripreso i nostri vecchi nomi di battaglia: Ettore è il partigiano Fiamma, io il partigiano Arcangelo e Osvaldo il partigiano Verano. A Filippo, che un nome di battaglia non l'ha mai avuto, abbiamo affibbiato Nebbia. «Perché la nebbia appare e scompare all'improvviso» gli abbiamo detto. La spiegazione gli è piaciuta moltissimo e ci ha ringraziato, è un tenero lui. E noi siamo delle merde.

Poi Ettore ha voluto organizzare subito una prova generale in una via che avrebbe, sostiene lui, le caratteristiche del luogo dell'agguato.

Con noi ci sono quattro comparse, di cui una automunita, più un professore di teatro in pensione che ricoprirà il ruolo del premier.

«Tutta gente fidata, non vi preoccupate» ci dice Ettore.

Nessuno di noi ha ancora preso la parola, ma certo non ci vuole un genio per capire che la segretissima operazione non sta partendo con il piede giusto.

«Mi sembra un azzardo, d'accordo fare le prove ma coinvolgere degli estranei...» dico.

«E che, volevi farla con i manichini la prova? Al COMSUBIN ogni azione veniva provata e riprovata con persone ignare di tutto, per testare il commando di fronte a reazioni imprevedibili» mi risponde Ettore imperturbabile.

Abbiamo analizzato decine di filmati e disponiamo le comparse secondo quella che è la formazione di copertura più usata: un uomo di fronte a ogni sportello, spalle alla macchina. Davanti al posteriore destro ci sarà il premier e dietro di lui il quarto uomo di scorta. Informiamo genericamente le comparse che devono provare a contrastare le nostre mosse. Poi Ettore ci riunisce in circolo.

«Allora, vi ricordate le posizioni?».

«Quali posizioni?» chiede Filippo.

«Come quali? Quelle che abbiamo studiato per tre sere di fila!».

Da quando ha smesso di fumare per riuscire a battere Osvaldo nella camminata mattutina, Ettore è intrattabile.

«Fili', tu devi parti' dalla posizione B e anda' in B1, io parto dalla C e...» dice Osvaldo con sicurezza.

«No, maledizione!» sbotta Ettore. «Filippo parte dalla A, sei tu che parti dalla B! Angelo invece...» e mi guarda, facendo una pausa.

Oddio, io quale avevo? Be', se A e B sono già prese...

«La C!».

«No, vabbè... è assurdo! Ma cosa stiamo mettendo su, un commando di rincoglioniti?» urla Ettore.

Le comparse, costrette ad assistere al battibecco, iniziano a stancarsi. Si guardano perplesse scuotendo la testa. Come unica consolazione penso che questa figuraccia allontanerà da loro i sospetti che stiamo tramando qualcosa di serio. Intanto Nicola, il professore, si avvicina con i fogli del copione in mano.

«Scusate, l'azione è molto chiara, ma qualche battuta non l'avete pensata?».

«No, ci serve spontaneità...» risponde Ettore.

«Scusi se insisto, eh? Ma lei che tipo di premier aveva in mente? Gagliardo e combattivo? Spaventato e dimesso?».

«Professore, improvvisi!» urla Ettore.

Ripassate per bene le posizioni di partenza ci disponiamo nei punti convenuti e aspettiamo il via di Ettore. Osvaldo ferma tutto alzando un braccio e trotterella fino a un albero, seguito dai nostri sguardi.

«I diuretici!» ci urla.

Nessuno ha da eccepire.

«Si nun la piantate de guardamme famo notte!».

«Ma che cavolo... un pisciatore timido» bofonchia Ettore.

Quando tutto il commando è tornato in posizione diamo il via alle comparse. Poi Ettore abbassa il braccio ed entriamo in azione noi.

«Stop! Non così!..» urla subito a me e a Filippo.

«Cosa c'è che non va?» chiedo.

«Si capisce lontano un chilometro che non sei un vero sostenitore del premier! Devi fare come faccio io, guarda!».

«Ma lo stai facendo uguale a come lo facevo io!».

«No, tu camminavi e sorridevi! Invece devi camminare, sorridere e *alzare le braccia al cielo*!».

Sì vabbè, come i pellegrini alla Madonna del Divino Amore.

«E tu, Filippo, piantala di fare il fanatico! Devi avere un passo da vecchio innocuo!».

Davanti alla finta macchina blindata Nicola, che si è pettinato all'indietro i pochi capelli, ci guarda sorridente e alza una mano in segno di saluto.

«È già entrato nella parte» nota Ettore con soddisfazione.

Riprendiamo le posizioni.

«Mi raccomando: passo lento, sorrisi, braccia... passo lento, sorrisi, braccia...» dice Ettore.

Al suo via, Filippo punta deciso verso il posto guida, io verso lo sportello opposto, Ettore e Osvaldo mirano ai due posteriori. Le comparse si dirigono istintivamente verso i più veloci. L'unico a raggiungere l'obiettivo è Osvaldo, che apre lo sportello ed entra nell'abitacolo. Vediamo Nicola sparire all'interno della macchina. Segue un po' di trambusto, poi più niente. Ci voltiamo a guardare Osvaldo: è steso pancia sotto sul sedile, le gambe gli sbucano dallo sportello e tremano spaventosamente.

«Ma che ha? Si sente male?» urla Nicola.

«Osvaldo!» grido e corro da lui.

Lo giro su un fianco e gli do dei colpetti sulle spalle, sono in preda al panico e non so che altro fare. Il suo volto è trasfigurato in un ghigno agghiacciante.

«Gli è preso un infarto!» urlo.

Osvaldo ha un rantolo. Vedo il suo volto contrarsi e poi liberarsi in una sonora risata.

«Ma che diavolo ha?» chiede Ettore sbigottito.

«Scusate, scusate!» ci dice Osvaldo strozzando in gola la risata. «Ma questo qui… mi ha detto…».

«Che gli hai detto?» chiedo a Nicola.

«Ma niente, che ne so, recitavo…».

«Scusate, nun ce la faccio! Io l'ho preso per il bavero e lui… con quella faccia… mi ha detto…» e ricomincia a ridere.

«Se non parla lo strangolo!» minaccia Ettore.

«Mi ha detto: "Mi… miii…"».

«"Mi" cosa?» gli urla Ettore.

«"Mi consenta"!».

49.

«Ma che hanno da guardare?» chiedo.

«Tu pa pinta di niente, segnòr» mi risponde Antonio.

Proviamo a ignorare gli sguardi insistenti dei vecchi del centro e a darci un tono, ma Filippo ha una frezza arancione sui capelli e Antonio una striscia verticale sulla maglietta, all'altezza del petto. Io me la sono cavata con un colpo sui pantaloni.

«Inutile chiedere com'è andata…» dice Ettore sedendosi al tavolo.

«È andata bene, invece» dico.

«Non si direbbe».

«Il bastardo ha venduto cara la pelle».

Sapevamo che l'imbrattamuri sarebbe tornato per completare l'opera e gli abbiamo teso un agguato notturno. Avremmo voluto armarci anche noi con uno spray, di quelli che usano le signore per autodifesa, ci siamo fatti accompagnare da Antonio in un'armeria ma lui, quando ha visto il prezzo, si è proposto di risolvere diversamente. «È solo acqua e peperoncino, io faccio con tre euro!» ha detto. Ha preso due varietà di peperoncini, secchi e freschi, li ha pestati nel mortaio e lasciati macerare per un intero pomeriggio in acqua e aceto. Poi ha filtrato tre volte il liquido e riempito uno dei suoi spruzzatori.

La prima notte abbiamo atteso invano, ma Antonio si è rallegrato della cosa: «Se riposa un giorno intero miscela è più potente». La seconda abbiamo spento tutte le luci alle undici e finalmente, alle tre e mezza, il ragazzo è arrivato con la bomboletta già in mano.

Antonio e io siamo sgattaiolati fuori dalla porta per impostare una manovra a tenaglia. Filippo, rimasto in attesa, appena ci ha visti arrivare alle spalle del ragazzo ha spalancato la finestra e gli ha sparato una bella spruzzata di peperoncino in faccia. Cavolo se ha funzionato, quello è caduto all'indietro e ha iniziato a lamentarsi e a stropicciarsi gli occhi con le mani. Lo abbiamo aiutato a rialzarsi, ma con l'arrivo di Filippo si è spaventato e ha iniziato a sparare spruzzi di vernice alla cieca. Siamo riusciti a trascinarlo a casa solo quando il dolore ha preso il sopravvento. Gli abbiamo subito applicato degli impacchi di camomilla e dopo qualche minuto il ragazzo ha potuto finalmente riaprire gli occhi. Appena si è accorto che eravamo solo due vecchi ha iniziato a fare lo sbruffone, si è alzato e dirigendosi verso la porta ci ha anche minacciati. A quel punto ha fatto irruzione Antonio, che è esploso in un inatteso «Kjaiii!».

«Ma che fai, karate?» chiede Ettore ad Antonio.

«No. Tu non prende a male, segnòr, ma italiani molto ignoranti. Cinesi, giaponesi e pilippini tutti uguali, tutti parenti di Bruce Lee».

«Vabbè, comunque gli è bastato fare la mossa e il ragazzo si è convinto ad ascoltarci» dico.

«E?» chiede Ettore.

«E ha accettato la proposta».

«Secondo voi possiamo fidarci?».

«Direi di sì. In ogni caso abbiamo preso il suo indirizzo e abbiamo minacciato di spedirgli almeno una busta di cacca al mese finché campiamo!».

50.

Tra una settimana dovremo essere operativi, ma vanno ancora sistemati dei dettagli tutt'altro che trascurabili. Ai pannelli, fondamentali per la riuscita della missione, penserò io: conto di rimediarli e consegnarli subito all'imbrattamuri con l'aiuto di un vecchio fornitore della tipografia. Alle tre auto provvederà Filippo che è sicuro di riuscire a ottenerle in prestito da alcuni suoi ex colleghi dietro modesto compenso. Alle videocamere potremo dedicarci tranquillamente all'ultimo: nell'emporio casalingo di Lauretta ce n'è una scatola piena.

Alla ricerca di un gruppo di persone fidate e disposte a sostenerci nell'azione, invece, penseremo tutti insieme da subito. Credevamo che questa sarebbe stata la parte più complicata, ma dopo la prova generale si è sparsa la voce che ci sono quattro tizi disposti a dare quindici euro per un'ora di lavoro come comparse. In meno di due giorni siamo stati travolti dalle richieste di vecchi bisognosi o semplicemente annoiati.

Per evitare assembramenti al centro anziani, abbiamo dato appuntamento ai candidati a casa di Ettore. Osvaldo si presenta con i capelli rasati a zero. A giudicare dal cerottino sulla tempia deve aver lavorato di rasoio e schiuma da barba. Interpretando la curiosità generale, mi faccio carico della domanda di rito.

«Cosa gli hai chiesto?».

«Ho 'na fitta ar polmone e non c'ho soldi per le analisi. Si me la fa passa'... un mese de boccia».

Appagata la curiosità, ci consultiamo su cosa sia giusto rivelare del nostro piano, o se non sia addirittura meglio tacere del tutto le nostre intenzioni. Decidiamo di valutare caso per caso. Agli ex partigiani e ai compagni ci riserviamo di dire tutta la verità; agli altri, accuratamente selezionati, diremo solo che non possiamo rivelare lo scopo dell'azione, che li teniamo all'oscuro nel loro interesse e che comunque il margine di rischio è minimo.

Scartiamo gli ex poliziotti, gli ex carabinieri, gli imparentati di ogni grado con le forze dell'ordine. Scartiamo quelli a rischio infarto, gli arteriosclerotici e i vecchi con problemi respiratori, perché bastiamo noi. Scartiamo anche un paio di noti chiacchieroni, un ex partigiano esaltato che si è presentato con una bomba a mano ancora funzionante e il Cavalier Guido Carlo Mariotti per il semplice fatto che quando abbiamo detto: «Signor Mariotti» lui ci ha subito corretti: «Cavalier Mariotti!». Dopo una giornata intera ne abbiamo selezionati appena cinque: due davvero soddisfacenti, incazzati e pronti a tutto; e tre appena passabili, mercenari che abbiamo preferito tenere all'oscuro delle nostre vere intenzioni.

«Dovremo rivedere il piano» dico.

«In effetti sono pochi, ma dobbiamo essere pronti a farcela anche con questi» mi risponde Ettore.

Sicuramente avremo altre richieste nei prossimi giorni, intanto però preferiamo mettere a tacere questo passaparola perché la situazione rischia di diventare pericolosa. Contiamo di rimediare qualche buon elemento al centro anziani, ma in quell'ambiente è meglio muoversi con cautela e il più possibile a ridosso dell'azione: per persone che passano tanto tempo insieme e che non hanno troppe cose interessanti da raccontarsi, la nostra segretissima operazione è un argomento di conversazione troppo ghiotto.

La giornata è stata intensa, prima di tornarmene a casa cerco di rilassarmi in compagnia di Filippo. Ma si vede che oggi non è proprio aria. Fernanda e Lauretta sono sedute in silenzio sulla panchina, hanno il volto scuro e ogni tanto si voltano per chiarire che l'origine dell'incazzatura siamo noi, appunto, Filippo e il sottoscritto.

«Perché ci guardano male?».

«Ma che ne so... Prendi le carte, Fili', che hai fatto scopa».

Siccome le ignoriamo, dopo dieci minuti ce le ritroviamo sedute al nostro tavolo.

«Be', non ce dovete di' niente?» sbotta Fernanda.

«No» rispondo secco.

«E tu?».

«Non sono cose da donne» risponde il genio.

«Aaah, allora è vero!» esclama Lauretta.

La conversazione prosegue con energici richiami al nostro buon senso e termina con sdolcinate suppliche per essere coinvolte nell'operazione. Il fatto è che quel demente con la bomba a mano si è subito vantato con alcune donne del centro di essere stato arruolato da un gruppo di ex partigiani per una missione molto pericolosa, e le due si sono convinte che stiamo pianificando un attentato dinamitardo. Appena spieghiamo che abbiamo liquidato il vecchio bombarolo con un inequivocabile: «Le faremo sapere», e che il nostro piano è un'azione simbolica che non prevede né l'uso di armi né il ricorso ad alcuna forma di violenza, ci ritroviamo intorno due femmine pigolanti.

«Ve prego ve prego ve prego! Fatece veni' pure a noi!» implora Lauretta.

«E dài, cazzo! Anche 'na cosa piccola!» implora a modo suo Fernanda.

Ci alziamo sperando di troncare la conversazione, ma quelle non ci mollano. Lauretta si attacca al mio braccio e io ho un brivido.

«*S'il vous plaît* Angelo...».

«E va bene, ma sarà una cosa piccola! Cinque minuti e ve ne andate».

Testamento VII

Roma, 20 luglio 2010.

Io, Angelo Di Ventura, nel pieno possesso delle mie facoltà fisiche e mentali, con la presente scrittura dispongo che la proprietà di tutte le mie sostanze venga suddivisa come segue: il cinque percento in parti uguali ai miei due nipoti, il resto ai miei amici

Filippo Baldi, Laura De Bernardinis, Ettore Pacini e Osvaldo Antonelli. Chiedo inoltre che dalla quota destinata ai miei nipoti venga prelevata la somma necessaria per la realizzazione sulla mia tomba di un'iscrizione ispirata al monumento dei caduti della Montagnola: "Qui giace il partigiano Arcangelo che conquistò in battaglia la dignità di uomo libero".

Nomino mio esecutore testamentario il signor Filippo Baldi.

51.

Questo è l'ultimo allenamento prima della missione. Per dare solennità al momento ci fermiamo a guardare il sole che sorge dietro i palazzoni sulla Cristoforo Colombo e ci carichiamo cantando *Bella ciao*. Prima di partire per la nostra camminata a passo svelto ci ritagliamo altri cinque minuti per una piccola cerimonia ufficiale: la sepoltura del bastone di Osvaldo. Il nostro vecchio amico ha fatto dei progressi notevolissimi e non ne ha più bisogno. Mentre procediamo con la partecipazione che si deve a un compagno d'armi, ci sentiamo tutti più forti e determinati. Poi, vabbè, la determinazione di Osvaldo ha avuto un piccolo cedimento, e così ha deciso di segnare la "tomba" infilzando nel terreno un rametto di legno. «M'è costato trenta euri, so' sessantamila lire, eh!» ha spiegato.

Iniziamo la camminata con un'espressione tesa che forse gli altri hanno messo su per fare scena, io di sicuro l'ho messa su perché un po' di paura la sto sentendo. Non è una gran vita la mia, lo riconosco, però l'idea di finire in galera e perdere quelle poche cose buone un po' mi dispiace. Fesserie, per carità, il caffè con Filippo al mattino, i blitz sulla preferenziale, le battute di Fernanda a Ettore. Chissà a cosa stanno pensando gli altri, avranno anche loro dei dubbi o sono davvero così determinati come sembra? Nella mia lista dei pro e dei contro ho messo anche Lauretta, l'ho messa in fondo, anche se per tutto il tempo è stata il mio primo pensiero. Pro: assicurarmi una fine dignitosa; contro: non sfogliare più i fotoromanzi con Filippo. Pro: diventare l'orgoglio del quartiere; contro: perdere Lauretta. Non è poca roba, nel conteggio finale Lauretta pesa eccome. Insieme a lei sulla bilancia ci sono tutti i miei sogni, i libri da leggere insieme, i tramonti sulla panchina, le passeggiate sotto il sole, la preoccupazione che prenda freddo o che lavori troppo, i regali da lasciarle sotto il cuscino. E poi vallo a spiegare ai giudici che avrei potuto vivere il resto dei miei giorni vicino alla fruttivendola più bella del mondo e che invece ho sacrificato tutto per una questione di dignità. Lo capiranno? O penseranno solo che sono un vecchio rimbambito? Di sicuro non sono cambiato poi molto, sono rimasto per tutta la vita il ragazzo che amava guardarsi allo specchio con il tricolore in una mano e un fucile nell'altra.

«Basta così! Venti minuti sono più che sufficienti!» dice Ettore.

La panchina adesso la usiamo per fare stretching, da settimane nessuno ci si butta più sopra a corpo morto. Mettere in tensione gli arti produce sempre una sonora raffica di scrocchi, però giunture a parte siamo in ottima forma. Recuperato il fiato e sbloccato il gomito di Ettore, punito come sempre quando prova a primeggiare, iniziamo il briefing.

«Oggi niente palestra, a quarantotto ore dalla missione è meglio evitare infortuni» dice Ettore.

«Io un salto preferisco farcelo... la fase "strattone" mi preoccupa un po'» dico.

Dopo la scenata di Osvaldo durante l'ultima prova con le comparse abbiamo ottimizzato la disposizione del commando. Ettore e io presidieremo gli sportelli posteriori, saremo noi quindi a dovercela vedere con il premier.

«Va bene, ma non esagerare altrimenti siamo nella merda. La sabotatrice a che punto è?».

La "sabotatrice" è Fernanda. Nonostante l'incarico sia altisonante, si tratta di un impegno lieve e poco pericoloso. Giusto quei cinque minuti di azione che le avevamo promesso.

«Ottimo, si allena da ieri con le albicocche. Possiamo stare tranquilli» dico.

«Per l'azione diversiva chi abbiamo scelto?».

«Lauretta».

«Ma non era meglio Ignazio? Fisico da scaricatore, bello piazzato… ci vuole peso!».

«E noi la prova della bilancia abbiamo fatto: ha vinto Lauretta per otto chili abbondanti».

«E brava Lauretta, donna solida…».

Sì, però io non riesco a esserne contento. L'azione diversiva non comporta reati ma non è priva di rischi: Lauretta si troverà nel parapiglia, e la cosa non mi piace affatto. Pagherei per avere una visione delle cose ottusamente ottimistica, se solo fossi capace di togliermi dalla testa questo rumore di femori spezzati, di sirene delle ambulanze e di zoccoli di gomma delle infermiere riuscirei a godermi anch'io la preparazione del piano.

«I pannelli?» mi chiede Ettore.

«La vernice è quasi asciutta. Due li monteremo sulle auto domani, l'altro lo nasconderemo stanotte dove stabilito».

«Cineprese?».

«Di abbastanza piccole e funzionanti ne ho trovate solo tre. Dovremo ritagliarci un'ora di tempo per fare un po' di pratica».

«Perfetto, io ho già istruito a dovere i nostri complici, domani li troveremo direttamente sul luogo dell'agguato. Restano le auto» dice Ettore, e guarda Filippo, che fa una faccia strana.

«Quali auto?».

Che io mi ricordi, da partigiano non ho mai partecipato a un'azione che all'ultimo momento non abbia presentato un imprevisto. Quella volta che avevamo deciso di bloccare un convoglio con una pioggia di fuoco ci siamo ritrovati con sei proiettili a testa. Ma mica abbiamo rinunciato all'azione, li abbiamo bloccati per cinque minuti e ce la siamo filata. O quell'altra volta che dovevamo organizzare un finto posto di blocco vestiti da soldati tedeschi. All'ultimo ci sono arrivate delle divise della Prima guerra mondiale, compreso l'elmetto a punta. E lì sì, in effetti ci siamo incazzati e abbiamo rinunciato. Però, insomma, adesso è inutile mettersi a fare i professorini e dire che i pannelli senza le auto non ci servono più a un tubo e che l'azione va a monte.

«Andiamo avanti lo stesso...» dico, «...non siamo mica come quelle schiappe dei marines americani, siamo partigiani, per la miseria! I nostri piani sappiamo farli funzionare anche senza mezzi!».

Magari più tardi preciserò che almeno due auto, una per sviare gli inseguitori e una per l'azione di recupero, dobbiamo rimediarle alla svelta sennò siamo fritti, ma intanto voglio godermi lo spettacolo delle loro facce così piene di orgoglio, così risolute. Siamo all'antica, noi, siamo stupendamente idioti.

52.

Lauretta ha studiato le foto delle manifestazioni pro Berlusconi, e attingendo dalla sua collezione di vestiti usati ci ha conciati a dovere. Ettore vestirà con giacca, panciotto e spilla da cavaliere all'occhiello; Osvaldo da vecchio contabile con la stilografica nel taschino; Filippo avrà foulard al collo e occhiali da sole con lenti azzurrate, alla moda di Porto Cervo; io invece farò il "classico" vecchio e: «Vai già bene così» mi ha detto.

Come dei veri professionisti, la sera prima della missione ci riuniamo a casa di Ettore per provare i costumi, ripassare il piano e concordare le procedure di emergenza.

«Comunque vadano le cose è stato un onore lavorare con voi!».

Il fatto che nessuno si sganasci di fronte a questa battuta di Ettore, che ci scorre in rivista come farebbe un sergente con il suo reparto d'assalto, mi fa capire che la concentrazione è massima. In silenzio ci apprestiamo a ricevere il materiale per l'azione. È tutto meticolosamente suddiviso dentro una grossa scatola di legno, Ettore la apre senza darci la possibilità di guardare all'interno e passa a elencarne il contenuto.

«Uno spruzzatore al peperoncino, che per il momento terrò io; quattro copie dello stradario; tre cineprese, io ne farò a meno tanto non c'ho capito un cavolo; le fascette di plastica per legare i polsi; e poi uno di questi per ciascuno».

Sull'ultimo elemento del kit che ci sta porgendo c'è un attimo di perplessità. Pare a tutti ovvio che si tratti di uno scherzo, quindi attendiamo che Ettore si metta a ridere visto che l'effetto di farci rimanere a bocca aperta l'ha ampiamente raggiunto.

«Che cacchio avete da guardare?» ci chiede.

«Dài, Ettore, non fare lo scemo» dico regalandogli una risatina.

«Sono serissimo, forse vi sfugge il fatto che l'operazione potrebbe durare anche cinque o sei ore».

«Ma allora non sei scemo, sei proprio matto! Io il pannolone non lo metto!» urlo.

«Manco io, a me mica me serve!» dice Osvaldo.

«Nooo, mica gli serve, a lui! Con i suoi andirivieni al bagno ci fa durare una partita a scopa mezza giornata, ma mica gli serve!» strilla Ettore.

«Mi dispiace, ma non se ne parla!» dice Filippo.

«Ah, va bene! Poi quando avremo gli agenti alle calcagna alzeremo il braccio e gli diremo: "Scusateee, pausa pipììì!"».

«Senti Ettore, grazie del pensiero, ma ognuno se la caverà da sé, va bene tutto, ma il pannolone no!» ribadisco.

«Primo, provate a smettere di chiamarlo pannolone; provate con: "dispositivo igienico di contenimento". Secondo...» Ettore alza le braccia ed esegue una piroetta, «...io lo porto da un anno!».

Pensa di averci fatto una sorpresa, è chiaro che si aspetta un nostro: "Ma va'?". Il fatto è che del suo pannolone ce ne siamo accorti tutti da un pezzo. Del resto, era davvero impossibile non farlo, anche a voler ignorare il lembo di plastica verde che ogni tanto occhieggiava sopra la cinta dei pantaloni. Avevamo notato tutti l'evidente effetto imbottitura, come pure il tenue crepitio della plastica protettiva ogni volta che si sedeva.

Per pura amicizia ripaghiamo la sua ingenuità con sguardi piacevolmente sorpresi.

Il mattino dopo raggiungo insieme a Filippo il luogo fissato per l'appuntamento con il nostro contatto. Ci sono già una dozzina di sconosciuti in attesa, e appena dietro vedo arrivare anche Ettore. Mi indica un vecchio che esibisce sulla giacca la spilla di Cavaliere della Repubblica. Stizzito si lamenta per la scarsa originalità del suo camuffamento.

«Per la miseria, Ettore, mica andiamo a un ballo in maschera!» gli dico.

C'è anche Osvaldo, che ci aspetta appoggiato al cofano di un'auto. Alziamo un braccio per farci notare, lui prova a risponderci e per poco non cade a faccia avanti. È completamente sbronzo.

«Ma dico, sei matto? Ti presenti ubriaco fradicio?» gli urla Ettore in un orecchio.

«Ma si ho fatto 'r fioretto de non beve pe' sei mesi!».

«Non dire balle! Si sente a un metro!».

«Ma er fioretto parte da domani! Me so' regalato l'urtimo goccetto, e che sarà mai?» risponde Osvaldo infastidito.

«Tu adesso vieni al bar con noi e ti fai un bel caffè amaro e forte!» gli ordina Ettore.

Lo prendiamo sottobraccio e lo trasciniamo verso il bar di Enzo, cercando di obbligarlo a una camminata lineare, che non dia troppo nell'occhio.

«Se ti sembra il momento di fare fioretti!» dico.

«E che, volevi parti' pe' la missione senza copertura aerea?» mi risponde con la bocca impastata.

«Ho capito, ma non potevi fare come al solito? Non potevi farlo prima?».

«Ah no! Nun me fregano più! Stavolta prima vedo la merce e poi pago, eh!».

Acceleriamo il passo, ma dopo pochi metri incrociamo il pulmino affittato dalla signora Maritati, il nostro contatto. Torniamo indietro minacciando Osvaldo e costringendolo a masticare due caramelle alla menta. Lui non gradisce.

«Ma la menta me date? Cor bianchetto de Palestrina?».

La signora Maritati è una quarantacinquenne con la pelle devastata dalle lampade abbronzanti. Indossa occhiali da sole con un enorme marchio sulle stanghette che urla al mondo intero che quella montatura costa un occhio. Mentre scende dal pulmino ci accoglie con gentilezza stucchevole e tra una telefonata e l'altra ci rivolge spezzoni di domande, senza curarsi della conseguenza logica.

«Sono i suoi amici, Aldo?» chiede a Ettore. «Ve l'ho detto degli ombrelli? Chi di voi doveva portare il nipotino? Se piove cercate di non aprirli, rischiate di rovinare le riprese televisive. Vi ho detto delle interviste, no?».

Non riesce a staccarsi dal telefonino, a ogni squillo mette su quella faccia da manager stressata che però si compiace tanto di essere così-indispensabile-da-non-avere-un-secondo-libero.

«Non ci provare! Non inventare scuse!...» urla. «Silvio lavora giorno e notte anche con quaranta di febbre, quindi non dirmi che ti tiri indietro per un misero trentotto!».

Le telefonate sono tutte uguali, una sequenza di persone che sparano balle per disertare.

«Fausto, mi avevi garantito due mamme con i bambini! Guarda che se mi fai arrivare da Corrado senza mamme coi bambini me la paghi, giuro che me la paghi! Non posso presentarmi con quattro vecchietti scalcagnati!».

Ci guardiamo intorno. In effetti ha ragione, è pieno di vecchi. La Maritati chiude la telefonata e ci rivolge un sorriso, come se la battuta l'avesse fatta qualcun altro, mica lei. Sta studiando da parlamentare, la tizia.

Saliamo sul pulmino schiaffando subito dentro Osvaldo per evitare che la donna si accorga delle sue condizioni. Ci sediamo in fondo, lasciamo il posto vicino al finestrino aperto al nostro amico alcolista e gli diciamo di fare dei bei respiri. Osvaldo, mentre la Maritati completa il carico del bestiame, sembra stare meglio, ci sorride in modo rassicurante. Tiriamo un sospiro di sollievo.

Troppo presto. Appena il pulmino parte Osvaldo sbotta in un attacco di ridarella.

«Cos'ha quel signore?» chiede la Maritati.

«Niente... è emozionato! È da tanto che voleva incontrare Silvio!» le rispondo.

Passiamo qualche minuto tranquilli, con il gruppo che canta a squarciagola *La canzone di Silvio* mentre Osvaldo prende aria con la faccia fuori dal finestrino. Quando riemerge dall'aerosol si abbandona a occhi chiusi sul sedile, poi si sporge e mette una mano sulla spalla di Ettore, seduto sul sedile davanti al suo.

«Ettore! Che t'avanza uno de quei cosi... i dispositivi diii... com'è che li chiami i pannoloni?».

«Sssh!» gli faccio.

«Aho', me scappa!» mi urla stizzito.

Minimizziamo l'intemperanza del nostro amico sorridendo ai cantori infastiditi, e per zittirlo gli passiamo discretamente un dispositivo di contenimento. Osvaldo, che deve avere una perdita d'olio ai freni inibitori, lo apre platealmente e inizia ad armeggiare con la cinta dei pantaloni.

«Ma che sei pazzo?» gli bisbiglio.

«Te dài 'na calmata? 'O metto con discrezione, lasciame fa'» dice.

«Ecco laggiù il palazzo della Confindustria» annuncia la Maritati ai gitanti.

Tutti si voltano a guardare, qualcuno si alza, noi ne approfittiamo per aiutare Osvaldo che si è già calato i pantaloni. Quando i passeggeri tornano a sedersi il nostro amico è vestito a dovere e anche noi ci fingiamo interessati alla sede della Confindustria.

«Aaaah! Mo' sììì...» dice Osvaldo nel silenzio generale, aggiungendo un sospiro liberatorio.

Questa volta agli sguardi interrogativi dei passeggeri non proviamo nemmeno a rispondere, ci abbandoniamo esausti sui sedili.

Raggiungiamo a piedi il punto d'incontro e ci uniamo al gruppo di un certo Corrado. Lui e la nostra accompagnatrice si salutano con un sorriso che subito si spegne, appena constatata la pochezza e la composizione della claque.

«Lo so, gioia, non fare quella faccia che sono incazzata più di te!» dice la Maritati.

«Ma insomma, in prima fila ci dovevano essere i giovani e le mamme con i bambini, mica il pubblico di *Forum*!» la rimprovera Corrado.

Osvaldo ha un nuovo attacco di ridarella. Gli lancio un'occhiataccia, lui la mimetizza goffamente voltandosi di spalle e fingendo di tossire. Fortuna che i due cominciano a deambulare attaccati ai cellulari e non ci fanno caso.

«Non me ne frega niente se c'è l'anticipo di campionato!» dice lui.

«Tesoro mio, guarda che se al bambino con la varicella fai prendere un po' d'aria gli fa solo bene» sibila lei.

Corrado è un cinquantenne dal piglio deciso, veste un completo elegante contaminato da scarpe vecchie con il tacco consumato da un lato. Passa dall'incazzatura al sorriso nel giro di un secondo e dopo aver radunato i due gruppi ci arringa appassionatamente.

«Come sapete Silvio sta passando un momento difficile, le forze illiberali stanno cercando di sovvertire la volontà popolare e quindi è il momento di fargli sentire tutto il nostro calore!».

Con un attimo di ritardo ci uniamo tutti al suo applauso. Anche Osvaldo finalmente inizia a partecipare.

«Appena uscirà dal palazzo lo accoglieremo con un bel coro, lui ci regalerà un breve discorso durante il quale vi prego di fare silenzio per non disturbare le riprese televisive. Certi giornalisti si divertono a intervistare i sostenitori di Silvio per ridicolizzarli, quindi fatevi furbi e non rispondete a nessuna domanda. Ci siamo capiti?».

Un coro di sì.

«Poi, siccome non siamo scemi e i trucchetti del Tg3 li conosciamo benissimo, state attenti a quando inizio ad applaudire io e seguitemi subito! L'applauso deve partire sull'ultima parola, la riconoscerete perché Silvio la scandisce sempre, e deve partire immediatamente, sennò quelli l'applauso lo tagliano, intesi?».

Un altro bel coretto di sì, che però non convince Corrado. Come farebbe l'animatore di un villaggio turistico, mette una mano vicino all'orecchio, e tutti: «Sììì!» urliamo, questa volta con maggiore convinzione.

53.

Le tre auto blindate sono ferme, una dietro l'altra, davanti all'uscita del centro congressi, proprio come avevamo previsto. Ma la situazione mi sembra molto più complicata. Aveva ragione Ettore: altro che comizi improvvisati, qui è pieno di giornalisti, di vigili urbani che rimuovono le auto in sosta, e sui terrazzi degli edifici circostanti spuntano ovunque poliziotti.

«Ma secondo te sono cecchini?» chiedo a Ettore.

«Anche se fosse, mica possono mettersi a sparare, con la folla che c'è» mi rassicura.

Il premier esce scortato dalle sue guardie, non riusciamo a vederlo perché dalle spalle dei gorilla spunta solo una mano che saluta il pubblico. Corrado è rosso in volto più del nostro amico ubriaco e inizia a urlare: «Silvio! Silvio!» spellandosi le mani in un applauso che a poco a poco diventa scrosciante. Ettore ci guarda con circospezione, noi ci stringiamo intorno a lui.

«Verano, come stai? Te la senti?» chiede a Osvaldo.

«Se dio vuole...» risponde lui.

«Se dio vuole? Allora senti un po' che dice, così magari diamo il via all'azione!» gli risponde caustico Ettore.

Osvaldo lo guarda, poi fissa gli occhi al cielo, capisce la battuta e sbotta di nuovo a ridere. Lo prendiamo sottobraccio e ridendo insieme a lui come tre amici che se la spassano lo trasciniamo lontano.

«Verano è fuori gioco, ci toccherà agire senza di lui» dico a Ettore.

«Impossibile. Vorrà dire che lo rimpiazzeremo con Lauretta» mi risponde.

Ha ragione, senza una manovra congiunta sui quattro sportelli dell'auto l'azione è impossibile e Lauretta, che avrebbe dovuto attuare il diversivo proprio accanto a Osvaldo, è la più indicata a sostituirlo. Però l'idea di coinvolgerla fino a questo punto non mi piace affatto, è rischioso, diventerebbe nostra complice a tutti gli effetti.

«Lauretta ha già l'azione diversiva, non ce la farà mai. Meglio Fernanda» dico.

«Va bene, tutt'e due allora!».

Quello dove si attesterà il premier è il lato della macchina che sarà sottoposto a una sorveglianza più vigile. Affidare il ruolo di Osvaldo a due donne che non hanno mai provato la manovra è pericoloso anche per Ettore, se il diversivo di Lauretta non dovesse funzionare si ritroverebbe a dover eludere la sorveglianza di due uomini di scorta anziché di uno solo. Non mi resta che contare sul buonsenso femminile, non si arruolano due donne così, fuori tempo massimo.

Scarichiamo Osvaldo su una panchina e gli diciamo di restarsene immobile. «Fino a nuovo ordine!» gli ringhia Ettore. Subito dopo raggiungiamo Lauretta e Fernanda, che secondo i piani attendono il proprio turno dietro l'angolo del palazzo di fronte. Ettore racconta rapidamente il problema che si è creato e accenna alla necessità di sostituire il partigiano Verano. «Attenzione, in questo modo i rischi aumentano» aggiungo io. Poi dice a Fernanda che dopo la sua azione di sabotaggio dovrà raggiungere Lauretta nella posizione convenuta per il diversivo. «E qui si fa dura» aggiungo io. Spiega a entrambe il ruolo che era di Osvaldo e ne chiarisce l'importanza. «Una pazzia, se ci pensate bene» aggiungo io fregandomene delle occhiatacce di Ettore. Che conclude con piglio autoritario: «Una di voi deve puntare verso lo sportello e prendere il posto di Verano».

«Anvedi questo» commenta Fernanda.

«Mo' improvvisamente ve servono le donne!» sbotta Lauretta.

«Dài, Ettore, lasciamo perdere, non si possono coinvolgere così all'ultimo» dico io.

«Vabbè, insomma... sì o no?» chiede Ettore, visibilmente spazientito.

«Mah. Chissà. Vedremo si saremo in grado...» conclude Fernanda.

Mentre torniamo frettolosamente da Filippo, Ettore spara a zero prima sulle vecchie, poi sulle donne senza distinzione d'età, infine, abbracciando anche il regno animale e azzardando una teoria del complotto che parte da Eva e arriva alla mantide religiosa, sull'intero genere femminile.

Raggiunto il nostro amico in mezzo alla folla, Ettore lo rassicura sull'intenzione di portare avanti la missione. Poi gli consegna lo spruzzatore al peperoncino che custodiva sotto la giacca.

«Partigiano Nebbia, tienilo tu. Senza Verano rischiamo di lasciare scoperta tutta la parte anteriore dell'auto. Mi raccomando però, usalo solo in caso di necessità».

Intanto il premier finge di cedere alle richieste del capoclaque e, com'era facile prevedere, sale sul predellino della sua auto blindata, quella al centro. Con passo lento e braccia in alto, noi iniziamo a raggiungere le nostre posizioni. Seguito da Ettore punto in direzione dello sportello posteriore dell'auto blindata e intanto verifico la presenza dei nostri complici. Ci sono tutti, non hanno avuto difficoltà ad attestarsi intorno alle due vetture di scorta. Poi tra la folla vedo anche la signora Ines con Domitilla... e Guido... e Attilio! Ettore mi strizza l'occhio. Siamo più del previsto allora, il commando è completo. Sul marciapiede opposto è entrata in azione anche Fernanda. Con la sua busta da gattara passa dietro un'auto della polizia e poi dietro una dei vigili urbani, senza destare il minimo sospetto. Ettore tira un sospiro di sollievo quando vede che anche Lauretta è al suo posto.

Cerco il suo sguardo, le sorrido, poi un'occhiata di Filippo a qualcosa dietro le mie spalle mi spinge a voltarmi. Più defilato, dietro le prime file, scorgo l'intero gruppo di ballo Alligalli.

«Che ci fanno qui? Non mi avevi parlato di loro!» bisbiglio a Ettore.

«Nessuno deve conoscere tutti i dettagli del piano, questioni di segretezza...» mi risponde.

Il bello è che la serietà del suo volto mi prende in contropiede. Annuisco scusandomi per aver fatto una domanda tanto sciocca. Ma adesso poco importa, quello che conta è che siamo diventati quasi una brigata.

Ettore si stacca da me e va a prendere posto dietro l'uomo che protegge il premier. Fin qui è stato tutto facile, i poliziotti non riescono a impedire che le persone si accalchino intorno alle auto. La guardia accanto al premier prende una finta ventiquattrore che in realtà si apre a libretto diventando un pannello antiproiettile; gli altri tre uomini sono schierati davanti agli sportelli, rivolti verso la folla. Noi passiamo inosservati grazie a dei giovani scalmanati e a qualche tizio poco plaudente che attirano tutte le loro attenzioni. Il premier è un incosciente, continua a salutare la gente intorno a lui senza rendersi conto che nessuno può garantirgli la sicurezza in una situazione del genere: troppe persone, troppe finestre e troppi portoni da sorvegliare, nessun cordone di sicurezza che riesca a trattenere i sostenitori. Lui, incurante, si gode il bagno di folla e si appresta a parlare. La claque lentamente ammutolisce.

È la prima volta che lo vedo dal vivo, e la cosa mi fa una strana impressione. È magnetico, maledizione, o perlomeno lo è la situazione, il fatto di ritrovarmelo davanti in carne, ossa e cosmetici dopo averlo visto in tv per una vita.

«Grazie alla legge sul legittimo impedimento» dice sorridente, «il presidente del Consiglio ha potuto finalmente occuparsi di questioni di interesse nazionale anziché andare in tribunale per rispondere a domande ri-di-co-le!».

Il premier scandisce e tutti applaudono. Dietro di lui intravedo Ettore che mi guarda storto. Effettivamente ero distratto, stavo ascoltando il discorso. Mi metto ad applaudire quando tutti stanno smettendo e attiro per un istante lo sguardo dell'uomo di scorta davanti a me. Sorrido in modo svagato e lo tranquillizzo, sono un vecchio coglione, mica un attentatore. È il momento di Filippo. Aspettiamo con ansia un suo cenno. Perché abbiamo deciso di affidare a lui una delle parti fondamentali dell'azione resta un mistero. Tutti lo guardiamo, e lui niente. Lo guardiamo male, e lui si stranisce. Infine lo guardiamo con l'occhio assassino, e finalmente si ricorda, si dà persino una manata sulla fronte. Scruta discretamente l'interno della macchina e con una soffiata di naso, il segnale convenuto, ci dà l'okay: la chiave di avviamento è inserita. Questo era l'ultimo tassello, l'unico particolare che i filmati non ci avevano rivelato. Premier sul predellino, chiavi inserite, il piano sta filando liscio.

«È un complotto di uomini meschini che vogliono impedirmi di governare, di forze occulte che tramano affinché io non riesca a portare avanti il programma di rinnovamento per il quale voi mi avete vo-ta-to!» continua il premier.

Scrosciano gli applausi. Noi ci siamo quasi: Filippo è già in posizione davanti allo sportello anteriore lato guida, Fernanda ha raggiunto Lauretta a un passo dallo sportello opposto. Ettore è ormai a pochi passi dal premier. Io sono posizionato proprio davanti a lui. Ho la gola secca, le gambe mi tremano, solo ora mi rendo conto di aver covato segretamente la speranza che il nostro tentativo si dimostrasse subito irrealizzabile.

È il momento di Lauretta, le lancio un sorriso di incoraggiamento immaginandola tesa e impaurita. Invece lei non sta nella pelle e del mio incoraggiamento nemmeno se ne accorge. Guarda Ettore con impazienza, in attesa di ricevere da lui il segnale. Il partigiano Fiamma estrae un fazzoletto bianco dal taschino e… siamo in azione!

«Oh li mortacci! Mi sento venir meno…» dice Lauretta abbattendosi sulla guardia accanto a lei.

Il suo svenimento improvviso travolge anche Fernanda, distratta dalle parole del premier, che finisce sdraiata sopra l'uomo di scorta. Gli altri agenti si voltano fulmineamente verso il trambusto e la loro reazione istintiva innesca la nostra danza: passo, giravolta, apertura, strattone e chiusura! I quattro sportelli si richiudono all'unisono, la coordinazione è perfetta, certificata dall'attivazione della chiusura centralizzata. Presi in contropiede dalla nostra azione fluida e simultanea, gli uomini della scorta rimangono chiusi fuori e possono solo dare pugni sui vetri blindati.

Siamo riusciti a entrare io, Filippo e Lauretta. Ettore e Fernanda sono nelle mani della scorta ma, come stabilito nel piano, con il cinquanta percento del commando a bordo possiamo considerarci operativi.

«Vai Nebbia, vai!» urlo a Filippo, che subito manda su di giri il motore.

Le mie grida, insieme a quelle degli agenti che ci stanno

puntando contro le pistole, atterriscono Lauretta: è in preda al panico, cerca di proteggersi mettendo la cintura di sicurezza. Il premier è accanto a me svenuto, devo aver esagerato con gli allenamenti della fase "strattone" e l'ho tirato dentro con troppa forza, facendogli sbattere il mento sul tetto dell'auto. Si è sentito un tonfo metallico seguito da un curioso suono di nacchere.

Partiamo svicolando tra le due auto di scorta mentre i gorilla, ostacolati dai vecchi che stramazzano uno dopo l'altro o si mettono tra i loro piedi, provano inutilmente a bloccarci la fuga. Nel fuggi fuggi generale entra in azione il corpo di ballo Alligalli: con un battito di mani occultato dietro le schiene, si aprono a ventaglio quanto basta per farci passare e poi, con un "Calcetto!" appena accennato, tornano a serrare le fila. Il partigiano Verano partecipa gagliardamente alla coreografia, anche se va tremendamente fuori tempo.

Il premier è ancora privo di sensi, non fatico a legargli le mani dietro la schiena con una fascetta di plastica. Dal lunotto posteriore vedo le auto di scorta che sgasano e azionano le sirene ma non riescono a fare nemmeno un metro, impedite come sono dall'ottimo lavoro dei nostri ragazzi. Ci vogliono due poliziotti per prendere di peso Domitilla e spostarla dal cofano dell'auto di testa. Guido e Attilio, strattonati dagli agenti, si buttano a terra fingendo fratture al femore. Un aiuto fondamentale ce lo danno i giornalisti che, ansiosi di riprendere l'azione, rendono più complicata ogni manovra della scorta. L'auto della polizia e quella dei vigili urbani, sul lato opposto della strada, dimostrano l'efficacia del sabotaggio: azionano le sirene, sputano qualche brandello di albicocca matura dai tubi di scappamento e si fermano a sobbalzi dopo neanche due metri.

Tagliamo la Cristoforo Colombo e raggiungiamo via Laurentina scegliendo strade poco trafficate. Lauretta si è voltata e fissa il premier a bocca aperta. Credo si stia rendendo conto solo ora del pasticcio nel quale si è cacciata. Poi lentamente volge lo sguardo su di me.

«Angelo… e mo' che se fa?».

La voce le trema, gli occhi mi implorano. Mi investono dell'autorità di rassicurarla.

«Va tutto bene Lauretta, ci sono io» le dico.

Mentre le prendo la mano ho vent'anni, sono l'immagine di me che ho lasciato nello specchio sessant'anni fa. Il partigiano Arcangelo, l'impavido cacasotto, è tornato.

Dopo poche decine di metri accostiamo su una via deserta nei pressi di un parco, scendiamo tutti e tre, prendiamo il pannello nascosto nelle siepi e lo leghiamo al tetto dell'auto in cinquantasei secondi, quattro in meno del tempo stabilito. Sul pannello, grande quanto la macchina blindata, è dipinta la sagoma di un'utilitaria vista dall'alto, uno stratagemma che ci permetterà di passare inosservati agli elicotteri della polizia. Mentre Filippo rientra in macchina dico a Lauretta di controllare una cinghia del pannello. Appena si volta mi chiudo dentro l'auto.

«Vai Nebbia!» dico a Filippo, che però ha bisogno di un chiarimento. «Vai, Filippo, vai!».

Partiamo con una sgommata, lasciando Lauretta immobile sul ciglio della strada. Lei mi guarda andare via, poi vedo che alza una mano e dice qualcosa. Io rispondo al saluto, sorrido e sottovoce le dico: «Anche io».

Sentiamo in lontananza molte sirene e un paio di elicotteri che si stanno precipitando in direzione opposta alla nostra, segno che l'auto dei nostri complici, quella che ha sul tetto il pannello con la sagoma della Mercedes blindata del premier, è entrata in azione e sta facendo un ottimo lavoro.

«L'auto civetta ha funzionato, vanno tutti di là!» dico.

«Speriamo che il trucco regga almeno per altri cinque minuti» risponde Filippo.

Raggiungiamo un incrocio che sappiamo essere sempre presidiato dai vigili, ma grazie all'intervento di un altro complice, che li ha distratti con una tempestiva richiesta di informazioni, passiamo inosservati. Ci lasciamo alle spalle il raccordo anulare senza problemi, attiriamo solo lo sguardo perplesso di qualche automobilista per via del pannello sul tetto, ma niente di più. Il percorso messo a punto da Filippo, che ha studiato la disposizione dei commissariati e le strade che avrebbero percorso le auto della polizia per raggiungere più rapidamente la zona dell'agguato, non ci ha fatto incrociare nemmeno una volante.

54.

«Chi siete?».

«Miseria ladraaa!» urlo spaventato.

Ero distratto, guardavo la strada, e la voce improvvisa del premier mi ha fatto sobbalzare.

«Mi vuole far prendere un colpo? C'ho il cardiologo della Asl io, mica un primario da cinquecento euro a visita!».

Le mie urla intimidiscono il vecchio che, ancora frastornato, indietreggia sul sedile.

«Mi scusi! È la benzodiazepina...» mi giustifico.

«Aaah» e accenna un sorriso. «Sì, lo so, fa così».

«Perché, la prende anche lei? Soffre d'insonnia?» chiedo, sinceramente incuriosito.

«Beeh...» dice, e inizia a guardarsi intorno.

«E per caso ha sbalzi di umore? Nausea?».

«No, più che altro stati di esaltazione...».

Mi risponde distrattamente, è confuso, continua a perlustrare l'auto. Forse stenta a credere di essere stato rapito da due vecchi e con lo sguardo cerca la presenza di qualcuno più credibile. Filippo mi lancia un'occhiataccia dallo specchietto retrovisore. Sì certo, devo concentrarmi, è un rapimento, mica una scampagnata.

«Presidente, questo è un rapimento. Faccia come le diciamo e vedrà che ce la sbrighiamo in fretta!» gli dico severamente.

«Un rapimento? Ma perché? Io ho fatto molto per voi… la sanità, le pensioni… Che volete da me?».

Tralascio il discorso sanità e pensioni, che pure meriterebbe approfondimenti, e mi lascio prendere dall'incazzatura per la scelta impropria del pronome.

«"Voi" chi? Casomai "noi", onorevole, "noi"! Siamo coetanei, miseria ladra!».

«Ma certo, sono stato frainteso» risponde d'istinto. «Chi meglio di me può capirli i problemi di un anziano!».

«Me li dica, allora. Che problemi abbiamo noi anziani?».

Parte con quella sua espressione tipica di quando è spiazzato dalla domanda e guadagna tempo aggiustando i microfoni. Purtroppo per lui non ce ne sono, e l'imbarazzo si vede tutto.

«So quanto sia difficile arrivare alla fine del mese» dice. «La sanità pubblica necessita ancora di tante migliorie…».

I grandi classici.

«Ma con la pesante eredità lasciataci dai precedenti governi…».

«Bastardo!» sbotta Filippo.

«Anche responsabilità nostra, certo! Ci mancherebbe!» si affanna a precisare il premier.

«Non diceva a lei, onorevole, uno scooter ci ha tagliato la strada…».

Entriamo nel parcheggio di un grande centro commerciale, ci fermiamo in mezzo alle auto in sosta, nel punto più distante dagli ingressi. Il pannello sembra funzionare a dovere: un elicottero sorvola l'area e si allontana. Racconto al nostro passeggero chi siamo e che intenzioni abbiamo. Il premier si oppone subito fieramente, dice che non ha nessuna voglia di sottoporsi a nessun tipo di interrogatorio e che non rilascerà nessuna confessione sui processi in corso. Il fatto che un politico non abbia la capacità di capire ciò che gli viene chiesto non dovrebbe più stupirmi. Invece, come sempre, iniziano a pulsarmi le tempie. Scandendo ogni singola parola torno a spiegargli tutto da capo, ma solo dopo avergli manifestato il mio risentimento per quella bizzarra genìa di sordi logorroici che infestano il nostro parlamento e i nostri televisori con discorsi dentro i quali nessun cittadino riesce mai a trovare le risposte alle proprie sacrosante quanto semplicissime richieste.

Certo di non essere stato capito, ma sicuro di aver almeno attirato la sua attenzione grazie alla generosità del turpiloquio, ribadisco che noi non vogliamo confessioni sui suoi processi o sui suoi festini, e lo lascio interdetto di fronte alla nostra unica richiesta. Finalmente, vinta un'ultima e poco efficace protesta, prendo la videocamera e mi appresto a registrare le sue dichiarazioni. Senza neanche ricorrere alla minaccia dello spruzzatore urticante.

55.

Riprendiamo la Laurentina, diretti verso il luogo stabilito per la liberazione dell'ostaggio, in aperta campagna. Da lì, secondo il piano, dovremo raggiungere entro tre minuti il punto nel quale abbandonare l'auto che stiamo utilizzando e salire a bordo del secondo mezzo, quello in cui ci attende il commando di recupero. Purtroppo non sono riuscito a far funzionare subito la videocamera digitale, abbiamo accumulato più di sei minuti di ritardo e adesso siamo costretti a correre, con il rischio che il pannello voli via strappando le cinghie. Il premier si è rilassato, adesso siede impettito e con il suo tipico sorriso sornione. Qualcuno dentro quest'auto non si sta rendendo bene conto di cosa sia successo. O è stato appena ristabilito un sacrosanto diritto di buona parte dei cittadini di questo Paese, oppure si è appena svolta una ridicola sceneggiata priva di qualsiasi valore. Mi pare assurdo che ci siano dubbi in proposito, ma a quanto pare è così.

«Più veloce, Nebbia» dico a Filippo.

«Non posso, il pannello ondeggia. E poi questo parabrezza è sporco da fare schifo, non vedo un tubo!» dice mentre passa la mano sulla parte interna del vetro, peggiorando la situazione.

«Anche la mancanza di pulizia delle auto di servizio sarà un'eredità dei precedenti governi» dico.

Non mi piace interrompere una battuta a metà e così, anche se mi accorgo subito che il mio amico sta facendo qualcosa di strano, il mio «Nooo!» parte troppo in ritardo. Filippo si è guardato intorno alla ricerca di un panno o un fazzoletto, ha visto lo spruzzatore, ha sorriso soddisfatto e sparato una bella nuvola di peperoncino liquido sul parabrezza, e di rimbalzo sulla sua faccia.

L'auto sbanda violentemente. In un secondo, lì dove vedevo la strada ora vedo scorrere erba e schizzi di terra. Pattiniamo, ci giriamo su noi stessi, infine con un tonfo ci fermiamo rimbalzando qua e là nell'abitacolo.

Non so se siano passati un secondo o un'ora. Filippo si stropiccia gli occhi lagnandosi per il bruciore, il premier ha la testa appoggiata sul sedile e giace immobile.

«Presidente?» chiedo.

«Che succede?» dice Filippo.

«Non si muove, non lo so».

«Oddio, abbiamo ammazzato il premier!».

Il vecchio si volta verso di me, a occhi chiusi, e inizia a lamentarsi.

«È stato solo un colpo alla testa».

«Un altro? Non gli farà male?».

«Meglio chiamare un'ambulanza».

«Macché ambulanza, dobbiamo scappare».

«Tu vai, chiamo e ti raggiungo».

«Sbrigati che si va insieme».

Prendo il telefonino e dopo un paio di tentativi riesco a parlare con il centodiciotto.

«Un'auto è finita fuori strada sulla Laurentina, al chilometro dodici... sì, c'è un anziano ferito...».

Usciamo dall'auto che giace esausta sull'erba, ha due gomme bucate ed è senza mimetizzazione. Il pannello è volato via, spezzandosi a metà. Pochi secondi dopo le sirene della polizia iniziano a sovrastare il quieto fruscio della campagna.

«Sono ancora sullo svincolo, abbiamo cinque minuti di vantaggio, forza!» dico a Filippo.

Ci avviamo a passo svelto in mezzo ai campi. La falcata è ridotta ma il ritmo è buono, e neanche un tratto in salita ci toglie il fiato. Ho il cuore in gola per la paura, non per lo sforzo. È dal millenovecentoquarantaquattro che non mi ritrovo inseguito da persone armate. Filippo inizia a trotterellare, poi a correre, guadagna subito dei metri, mi assale l'ansia di restare indietro e inizio a correre anch'io. Vedere il terreno che scivola così veloce sotto di me è un'esperienza che non vivevo da anni. Divoro metri, più che correre mi sembra di volare. Raggiungo Filippo, lo supero per un breve tratto e lui aumenta la frequenza dei passi per rimettersi al mio fianco. Mi sorride, io vorrei urlargli: "Dài, più veloci!", però ho paura di interrompere la regolarità della respirazione e andare in affanno, così mi limito a puntare un braccio in avanti come un capitano dei cavalleggeri che chiama la carica. Filiamo dritti sparati verso una radura, l'idea è quella di far perdere le nostre tracce. Con un passo così ce la possiamo fare benissimo!

La mia stima era esatta, i minuti di vantaggio erano cinque. Dopo sette ci hanno acciuffati. Avevamo percorso un centinaio di metri, uno scherzo per poliziotti allenati. Sì, è vero, pensavo di più, ma su quei cento metri siamo andati alla grande.

Gli agenti ci schiaffano dentro una volante senza troppi complimenti. Pensavano di dover affrontare un commando di terroristi e si sono ritrovati per le mani due vecchi inoffensivi. Adesso non sanno come smaltire tutta l'adrenalina che hanno in circolo. Uno in particolare è proprio su di giri.

«Volevate passare gli ultimi giorni in galera? Sarete accontentati! Anche se vi beccate un anno è come un ergastolo, per voi!» ci urla con un sorriso maligno.

Poi si volta e inizia a gridare ordini ad altri poliziotti. Nel frattempo uno dei colleghi, che aveva passato il tempo a guardarci e a scuotere la testa, si avvicina.

«Ma come vi è venuto in mente?» ci bisbiglia. E comincia a ridacchiare.

56.

Mi aspettavo una stanza buia e una lampada puntata in faccia e invece no: il commissario mi sta interrogando nel suo ufficio illuminato da un bel sole caldo che entra dalle finestre spalancate. Prima di iniziare mi offre anche un caffè.

«Non intendevamo rapirlo né fargli niente di male. Volevamo solo che ci chiedesse scusa» dico anticipando la sua domanda.

«Chiedere scusa? Scusa di cosa?» mi chiede lui con la faccia sorpresa.

È sulla cinquantina, ha il volto stanco e mi parla come farebbe un padre con il figlio, che poi è come fanno i figli con i padri quando questi diventano anziani.

«Ero giovane, e gli anni che avevo davanti erano un patrimonio immenso, l'unico che avrei mai posseduto. Eppure non ho esitato a sacrificarlo... per guardarmi allo specchio senza rimorsi, per lasciare ai figli un Paese di cui essere orgogliosi. Chiunque abbia sperperato il mio patrimonio mi deve delle scuse».

Il commissario mi ascolta perplesso. Effettivamente l'ho presa un po' alla larga. Mentre sto pensando di andare sul concreto, e magari fare qualche esempio, lui mi anticipa.

«Tutto questo per delle scuse?».

«E le pare poco? Secondo lei ex partigiani, invalidi delle forze armate, operatori umanitari, volontari, ricercatori precari, cinquantenni cassintegrati non le meritano? E gli italiani costretti ad andare all'estero, i temerari che ancora scelgono di avere famiglie numerose, chi decide di resistere alla criminalità organizzata o semplicemente chi vive onestamente in una società che ha fatto dell'imbroglio uno strumento di elevazione sociale? Con quale coraggio certi politici si presentano di fronte ai veri *onorevoli* di questo Paese con battute e slogan mortificanti? Sentirsi in diritto di poter dire qualsiasi cosa senza mai renderne conto è il più meschino dei loro privilegi».

Il commissario si massaggia la fronte e sospira.

«I vostri sono reati molto gravi, lo sa?».

«Per il mio Paese ho ucciso. Vuole farmi sentire in colpa perché ho sequestrato un vecchio per due ore e gli ho estorto delle scuse?».

«Chi altro è coinvolto in questa pazzia?» mi chiede.

«Sono Angelo Di Ventura, partigiano, nome di battaglia Arcangelo» rispondo.

«Non siamo in guerra, io sto cercando di aiutarla».

Cerca di aiutarmi, è vero, lo vedo dall'espressione del volto. Ma non può, perché non capisce. Crede che debba esserci per forza qualcuno dietro di noi perché dei partigiani ha solo sentito parlare e non sa di cosa eravamo capaci. Avrà anche letto qualcosa, forse, ma di sicuro non si è mai scomodato per venire a parlare con uno di noi e scoprire che la nostra incazzatura ci accompagnerà fino alla morte.

«Vuol farmi credere che avete fatto tutto da soli? Alla vostra età?» chiede.

Lo guardo in silenzio quel tanto che basta per fargli capire che l'uscita non è stata di mio gradimento.

«Nessun altro si sarebbe potuto avvicinare così tanto, nessun altro sarebbe riuscito a ingannare le guardie del corpo... ce l'abbiamo fatta proprio perché siamo vecchi» dico.

«Come sapevate che sareste riusciti a prendere possesso dell'auto?».

«Non lo sapevamo, però il rischio era minimo. Potevano bloccarci appena saliti in macchina, ma nell'evenienza avevamo un piano già pronto».

«Quale?».

«Gli arteriosclerotici».

Il commissario mi guarda con incredulità. Crede, o forse spera, di non aver capito.

«Vuole vedere come faccio il vecchio arteriosclerotico? "Cosa volete? È la mia macchina questa! È la mia bella Mercedes blu!"» dico gesticolando.

«La prego...».

«Se dei vecchi farneticanti salgono sulla macchina del premier mica li metterete in galera, no?».

Prova a tener botta ma sul suo volto leggo solo ammirazione. Allora mi lancio, e gli spiego che per la fuga avremmo voluto due auto blu identiche a quella del premier, da far viaggiare in direzioni opposte alla nostra. Questo per depistare tutte le volanti e gli elicotteri che entro cinque minuti avrebbero iniziato a sorvolare la zona. Per ovvie questioni economiche siamo dovuti ricorrere ai pannelli, con i quali abbiamo mimetizzato l'auto blu da utilitaria e un'utilitaria da auto blu.

«I pannelli li abbiamo recuperati. Davvero un ottimo lavoro» dice il commissario.

Incredibilmente l'imbrattamuri ha del talento, con le sue bombolette ha realizzato delle riproduzioni molto realistiche, con una prospettiva perfetta.

«Abbiamo fatto delle prove, già a una decina di metri d'altezza potevano ingannare chiunque» dico con orgoglio.

«C'è stato un bel trambusto, infatti. Pare che un paio di agenti delle volanti abbiano fatto delle insinuazioni sulla madre di un ufficiale elicotterista» dice il commissario. «Però non capisco, se avevate un'utilitaria a disposizione perché pensare ai pannelli? Potevate fare subito un cambio d'auto».

Sorrido, un po' stupito dalla sua ingenuità.

«Sì, di solito si fa così, ma vede, noi non siamo criminali da strapazzo, siamo partigiani. Se la Mercedes blu fosse sparita all'improvviso, nel giro di pochi minuti ci sarebbero stati posti di blocco ovunque, invece appena avete individuato la nostra auto camuffata i posti di blocco li avete fatti solo nella sua direzione...».

«E come avete fatto a passare inosservati alle pattuglie della polizia e ai vigili urbani?».

«Le dispiace se prendo una sigaretta?» chiedo.

L'ultima volta che ho fumato è stato nel cinquantasei, all'uscita dal cinema. Con due amici avevo preso la macchina in direzione Mentone per vedere un film con la Bardot che in Italia era stato censurato. Abbiamo attraversato il confine dopo un viaggio estenuante, passato a sgomitarci per le scene di nudo che ci attendevano, pregustando il racconto che avremmo fatto al ritorno ai nostri amici. Mi sono addormentato subito dopo i titoli di testa, sul primo dialogo in francese. Ma cosa mi aveva chiesto il commissario? Ah, certo, come ha fatto un gruppo di salme a organizzare un piano perfetto.

«Prima fase con sabotaggio, azione diversiva e attacco a sorpresa congiunto sui due lati; seconda fase con azioni di disturbo e mimetizzazione... roba da manuale militare» dico con orgoglio.

Ne approfitto anche per lasciar cadere una frase polemica sui tagli alle forze di polizia, cosa che mi attira un paio di consensi decisi da parte sua.

«Chi sono i vostri complici?» mi chiede a bruciapelo il commissario.

«Io sono Angelo Di Ventura, partigiano, nome di battaglia Arcangelo».

Il commissario torna a massaggiarsi la fronte, poi si sporge verso di me con un sorriso bonario.

«Senta, lei mi sembra una brava persona... le do un consiglio, nei prossimi interrogatori non si faccia prendere la mano. Vede, tutto questo è meglio che passi come il fortunoso piano di un gruppo di pensionati e non come l'audace azione militare di un commando di ex partigiani».

Squilla il telefono. Il commissario risponde e chiede spiegazioni un paio di volte prima di attaccare.

«Senta Arcangelo, abbiamo un problema con Nebbia... dovrebbe convincerlo a smetterla con il piano del vecchio arteriosclerotico» mi dice.

Il mio sguardo stupito lo convince a precisare.

«Sta facendo impazzire il mio collega, continua a ripetergli che è notte e vuole andare a casa a dormire».

57.

Tecnicamente l'operazione può considerarsi compiuta. Il finale non è stato più glorioso solo a causa della momentanea amnesia di Filippo. Contusioni ed escoriazioni a parte, si è contato un solo ferito, Ettore. Dopo la schiena e la gamba ora ha donato alla patria l'ulna, che si è spezzata in due parti quando si è lanciato contro lo sportello per chiudere dentro il premier. Le televisioni hanno trasmesso la scena del rapimento almeno un centinaio di volte, con tanto di ralenti e di ingrandimenti. Le immagini sono confuse, si vede una guardia del corpo cadere a terra abbattuta dal peso di Fernanda e di Lauretta, che però riesce a non perdere l'equilibrio e ha tutto il tempo per aprire lo sportello e sedersi all'interno della vettura. Sullo sfondo ci siamo Filippo e io, che svicoliamo tra le due guardie distratte e c'infiliamo lesti in auto. Grazie al ralenti si vede anche che il colpo di mandibola sul tetto non è colpa del mio strattone ma di quello dell'agente di scorta che, notato l'arrivo di Ettore, come prevede il protocollo d'intervento si affretta a spingere dentro l'auto il premier. Un aiuto che non avevamo calcolato. Tutt'intorno è un brulicare di guardie che estraggono le pistole, persone che scappano e altre, i nostri complici, che simulando le più svariate disfunzioni motorie intralciano l'intervento della scorta e la partenza delle auto blindate.

Dopo l'arresto, smaltita l'adrenalina, abbiamo attraversato dei brutti momenti. Sul nostro capo pendevano delle accuse molto serie ma, a sorpresa, a salvarci da conseguenze peggiori ha contribuito l'intervento del premier. Con un'oculata scelta strategica ha preferito usare la faccenda a scopi propagandistici e ha tuonato su tutti i mezzi d'informazione contro la sinistra e le toghe rosse, che con la loro campagna di esasperazione hanno armato la mano di un gruppetto di poveri vecchi, che saremmo noi. Si è quindi adoperato, avendo cura di farlo sapere al mondo intero, perché ci fosse comminata una pena lieve.

Con la sua intercessione, in considerazione dell'età avanzata, dell'assenza di aggravanti e del fatto che siamo tutti incensurati, ci hanno dato otto mesi di reclusione con sospensione condizionale della pena; a Filippo, che ha avuto altre défaillance durante gli interrogatori, hanno imposto una perizia psichiatrica e successivamente l'obbligo di trattamento sanitario. Ettore e Osvaldo avrebbero potuto farla franca, ma entrambi hanno tenuto a precisare che il piano era anche loro e così si sono beccati gli otto mesi. Gli altri anziani che hanno partecipato al blocco delle auto di scorta se la sono cavata con una sgridata, visto che non è stato possibile in nessun modo accertare la loro complicità. Anche i due uomini alla guida dell'utilitaria mimetizzata da auto blindata l'hanno fatta franca, sono riusciti a dileguarsi dopo aver creato lo scompiglio per venti minuti buoni: dieci per il rispetto del piano e dieci per il proprio piacere. Gli elicotteri segnalavano la loro posizione e le volanti in strada continuavano a incrociare solo una vecchia Ritmo con dentro due pensionati.

Per colpa di alcuni giornalisti che avevano iniziato a bivaccare di fronte alle nostre case abbiamo trascorso delle settimane snervanti. Continuavano a suonare al citofono e a telefonarci nel tentativo di estorcere un ringraziamento pubblico per la clemenza del premier nei nostri confronti. Hanno ottenuto solo quello di Filippo che, colto in uno dei suoi momenti no, ha magnificato il primo ministro De Gasperi.

Il filmato con le dichiarazioni del premier ci è stato sequestrato, ma subito dopo il processo è finito lo stesso su Internet. Manu ci ha detto che ha già totalizzato più visitatori del video del piccolo panda che starnutisce e, qualsiasi cosa voglia dire, pare che milioni di italiani abbiano finalmente ricevuto le scuse. Le scuse per un sacco di cose, in base a un elenco che andava dalla volta in cui consigliò a una laureata di sposare un uomo ricco fino all'ammenda per un paio di barzellette spinte. In mezzo c'è stato anche spazio per una parziale ritrattazione sulla sua fama di grande amatore di cui, ha dovuto ammettere, nessuno ha mai parlato tranne lui. L'unico punto su cui non siamo riusciti a ottenere le scuse è il numero quarantasei bis: "Chiedo scusa per aver trattatato gli italiani come degli idioti affermando che la crisi economica è un'invenzione della sinistra per andare al potere". Comunque, nel filmato, dopo l'affermazione del cavaliere: «Non posso chiedere scusa perché è la verità, lo giuro sulla testa dei miei figli» si sente il pernacchio di una risata strozzata di Filippo, che pare sia diventata un tormentone. Per errore poi il premier ha chiesto scusa anche per un paio di cose che non avevamo inserito nell'elenco. Per esempio ci ha confessato che quella volta che in una riunione del G20 fece attendere la Merkel, non era affatto impegnato in una importantissima telefonata con Erdogan, se la stava semplicemente tirando un po'.

58.

Magicamente, subito dopo l'arresto si sono rifatti vivi tutti i nostri parenti. Il tema principale del loro ritorno è stato: «Ma che vi siete messi a fare? Come se non avessimo già altri problemi!». Ettore ha rischiato l'interdizione, ma quando i figli si sono presentati in compagnia di un medico che doveva valutarne la condizione psicofisica, ha sfoderato una prestazione maiuscola. Ha elencato i nomi di tutti i familiari fino al quarto grado di parentela e le sue attività giornaliere dettagliate di ora, minuti primi e secondi. Quando poi il medico gli ha chiesto di alzarsi dalla poltrona e fare qualche passo per determinare il suo grado di autonomia fisica, si è fatto forza sulle braccia, ha sbuffato, rantolato e... «Passo avanti, passo avanti, e calcetto!»... ha ballato l'Alligalli.

I miei nipoti non sono stati da meno. Prima si sono incacchiati per benino, poi, quando hanno visto che una parte della stampa esaltava le nostre gesta, hanno iniziato a rilasciare interviste a raffica. Da qualche settimana compaiono su giornali, radio e programmi tv del mattino, compaiono ovunque tranne che a casa mia. L'unica persona che ci dispiace davvero di aver disturbato è Manu. Si è precipitato dal nonno con il primo volo, ha pagato le spese processuali e siamo quasi dovuti ricorrere alle mani per convincerlo a tornare negli Stati Uniti. Anche lui all'inizio si è preoccupato, ma alla fine ha capito. E non ci voleva certo un genio della biologia. Quando poi ha visto il filmato e ascoltato le scuse per tutte le battute sui gay, ci ha detto che ci vuole bene, che siamo i suoi eroi. E tanto basta. Non ci illudevamo certo di cambiare la classe politica e nemmeno il premier. A cambiare, come al solito, saremo noi. Perché la loro è una strana e spesso precocissima forma di demenza senile, endemica di Montecitorio, che fa dimenticare l'esistenza delle persone. Quindi se poi dicono una fesseria e non chiedono scusa non è perché sono cattivi, è perché non sanno che esistiamo. E allora bisogna fare come con Filippo, ogni tanto dobbiamo ricordargli chi sono, cosa ci fanno lì e soprattutto per conto di chi.

Farò la mia parte per aiutarli, tanto per cominciare ho deciso che d'ora in poi non gli ricorderò che esisto solo facendomi vivo sulle corsie preferenziali ma anche, per la gioia di Bruno, prendendo parte a tutte le manifestazioni. Con i palloncini in mano, se occorre.

Anche se non siamo sottoposti a nessuna misura cautelare, su consiglio degli avvocati abbiamo deciso di rimanere chiusi in casa per qualche settimana. La situazione è delicata e basterebbe una parola fuori luogo con un giornalista per attirarci un mucchio di grane. Sono passati appena tre giorni e inizio già a sentire il peso della reclusione. La sensazione è acuita dalla decisione di non telefonarci, perché Ettore sostiene che potremmo avere gli apparecchi sotto controllo. Mi mancano le chiacchiere con gli amici, le passeggiate, il blocco delle auto blu, mi manca Lauretta soprattutto. Ma non devo pensarci, le settimane passano in fretta e appena sarà calata l'attenzione dell'opinione pubblica faremo una grande festa al centro anziani. Intanto ci accontentiamo delle visite di Antonio che ci porta la spesa, ci sterilizza gli appartamenti e urla: «Kjaiii!» ai giornalisti più invadenti.

Per tenermi in allenamento faccio una lunga passeggiata su e giù per casa, ho il terrore che a causa dell'inattività forzata possa perdere la capacità di correre. Poi mi preparo per una bella dormita. Il riposo è fondamentale, a colpi di otto ore di sonno queste settimane passeranno prima. Mi sdraio sul letto, prendo un libro dal comodino e inizio a leggere ad alta voce, immaginando che Lauretta sia distesa accanto a me. Il suono sgraziato del citofono non ha pietà della poesia del momento.

Sarà sicuramente un giornalista, penso, e resto sdraiato in attesa del secondo suono e poi del terzo più insistente. Invece non arriva nulla, cavolo, non era un giornalista allora.

«Chi è?» chiedo trafelato.

«Angelo!» sento in lontananza. «Sono Bruno, Bruno della sezione dei comunisti...» dice raggiungendo di corsa il citofono.

«Bruno della sezione dei Comunisti Pipparoli, sì, lo so chi sei».

«Ti disturbo?» chiede incassando la battuta con disinvoltura.

«No, macché, vuoi entrare?».

Non faccio in tempo ad aprire il portone che Bruno sta già bussando alla porta. Quando gli apro nemmeno mi saluta, mi butta le braccia al collo e mi stringe con commozione. Mi dà anche delle grandi pacche sulla schiena, un po' troppo grandi per la mia età.

«Angelo, io non ho parole, la vostra è stata l'azione più brillante degli ultimi settant'anni!».

«Eh, hai visto? Qualcosa siamo ancora in grado di farla».

«Stai bene? Sei stanco?» mi chiede tutto agitato.

«No, perché?».

«È che fuori ci sarebbero un po' di ragazzi che non vedono l'ora di conoscerti, ma se sei stanco…».

Dico che no, non sono così stanco da non poter fare una chiacchierata con un paio di ragazzi. Solo che i ragazzi sono ventidue, eccitati come scolari in gita al museo delle cere, e passo almeno un'ora a rispondere al fuoco di fila delle loro domande. «Chi ha ideato il piano?», «Ma davvero vi allenavate al parco?», «Berlusconi se l'è fatta sotto dalla paura?», «È vero che l'azione è stata finanziata dalla sinistra? Quale sinistra di preciso?». Queste domande si devono al lavoro della stampa. Pensavo che i miei amici si sarebbero fatti prendere la mano e avrebbero iniziato a ricamare sulla storia. Io stesso ho accarezzato l'idea di calcare un po' sulla reazione del premier e sul suo spavento, ma rispetto alle invenzioni dei giornali mi sono sentito un dilettante. Le tesi, spacciate per verità, sono molteplici. Secondo loro l'azione la studiavamo da anni e l'abbiamo improvvisata sul campo, siamo ex partigiani e pensionati indementiti, siamo eroi e siamo lo specchio di una generazione violenta deviata dal comunismo, siamo anziani che si ribellano al sistema e vecchi in cerca di un quarto d'ora di notorietà. Invece è tutto molto più semplice, come cerco di spiegare ai ragazzi: siamo partigiani, gli ultimi rimasti, e farci incazzare non è mai una buona idea.

59.

Il mio cellulare vibra tre volte in piena notte. Lo prendo, la luminosità dello schermo mi abbaglia ma dopo qualche secondo riesco a mettere a fuoco l'icona di una lettera. Premo "ok", non perché conosca la funzionalità del tasto, mi pare solo la cosa più sensata da fare. Sullo schermo appare: "Prova messaggio. Ciao sono Laura!".

C'è riuscita, quel genio di Lauretta è riuscita a mandare un messaggio! E soprattutto, l'ha mandato a me. Solo a me? Avrà sbagliato numero? C'è solo un modo per saperlo, devo risponderle. Provo a premere le lettere ma non succede nulla, premo il tasto magico "ok" e il telefono mi chiede se voglio eliminare il messaggio di Lauretta. Che siamo matti? Mi serve il libretto delle istruzioni. Vado in salone e apro il cassetto che hanno tutti i vecchi, quello ordinatissimo con il manuale del frigorifero, del tostapane, dell'apparecchio per misurare la pressione, che non mi serve più perché ora mi sento benissimo, della calcolatrice solare e... eccole qui 'ste benedette istruzioni del cellulare.

Mi siedo sul letto e dopo mezz'ora di tentativi riesco a scrivere solo "agam". È esasperante, io premo il tasto con la "c", quello con la "i", con la "a" e con la "o" e compare "agam"! Allora provo con un'altra parola. Decido di risponderle "brava!".

Il sole inizia a filtrare dalla serranda e io sono riuscito a scrivere solo "apata". Dopo una nottata in bianco, nonostante l'agitazione per il messaggio e la frustrazione per non riuscire a scrivere nulla di intelligibile, mi sorprendo piacevolmente di me stesso. Il cellulare dovrebbe giacere in pezzi sul pavimento già da un po'. Invece sono qui a considerare che, tutto sommato, "agam" era una parola divertente, il miglior riassunto possibile della mia nottata di tentativi, e merita di essere spedita. Vado in cucina per preparare la colazione e sento vibrare di nuovo il cellulare. È Lauretta, la sua risposta è: "agam!". Poi arriva un secondo messaggio con delle brevi ma chiarissime istruzioni per la corretta composizione di un sms.

Ora capisco perché i ragazzi passano ore a scriversi messaggi con i telefonini. È il gusto dell'attesa, lo stesso che provavamo noi quando spedivamo una lettera e dal giorno dopo iniziavamo a controllare la cassetta della posta. La stessa sensazione di sospensione concentrata in pochi secondi, che si ripete anche trenta volte al giorno. «Volete mettere la bellezza di una lettera?» dicevo. Sull'estetica non si discute, ma francamente chi se ne importa, sono contento di aver vissuto quella stagione di incertezze, quando i sentimenti venivano affidati all'italica efficienza del sistema postale, e adesso sono ancora più felice di avere sempre il cellulare in tasca, di sentirlo vibrare, di vedere l'icona della lettera che appare sul monitor. Sono anche felice delle piccole idiozie, del controllo compulsivo dello schermo perché hai visto mai, magari è arrivato un messaggio e non l'ho sentito. Sono addirittura estasiato dal crollo repentino dei pudori che questo tipo di comunicazione comporta.

"Iniziano a mancarmi le passeggiate con Filippo" scrivo.

"A me le promenades inzieme a te".

"Stavo per scrivertelo".

"O preferito scriverlo io per sicurezza".

"Stavo per scriverlo sul serio".

"E allora dove me porterai?".

"Lontano. Fino a piazza di Spagna".

"Promesso?".

"Promesso".

"Bonne nuit Angelo un bacio".

Sono passati una sessantina d'anni dall'ultima volta che Lauretta mi ha dato un bacio, il risultato è sempre lo stesso: resto imbambolato. Prima di risponderle stringo il cellulare al petto e bacio delicatamente lo schermo, perché i vecchi ridiventano bambini, si sa, e l'amore torna a essere una cosa ingenua, spensierata, limpida.

"Lauretta che mi hai detto quando ti abbiamo lasciata in mezzo alla strada dopo il rapimento?".

"Mi pare: Sto fijo de 'na mignotta! Tu invece?".

"Non me lo ricordo".

60.

Tra le visite dei ragazzi, i messaggi e gli allenamenti casalinghi le prime due settimane sono passate velocemente. La terza è durata un'eternità, anche per colpa di Ruggero e dei vecchi come lui. Gli anziani del centro sono persone semplici, hanno un minimo di autostima e di senso del pudore, quindi non sono i tipi che pensano alle ventenni. Stravedono per il culo di Fernanda e per Lauretta, tutta. Ammirevole come attitudine, ma durante la reclusione in casa non sono stato in grado di apprezzarla. La vecchiaia genera urgenza, e così a nessuno di loro è saltato in mente di perdere settimane o magari mesi con approcci lenti e garbati. Questi maledetti sono partiti a testa bassa come mufloni. Lauretta ha ricevuto visite a casa praticamente ogni giorno e ha collezionato tre proposte di matrimonio e una di convivenza. Fortunatamente non sono uno che fa scenate di gelosia al telefono, piuttosto preferisco mandare messaggi tipo: "Davvero si è dichiarato? Divertente!" tenendo su una faccia cupa come se la destinataria potesse vederla.

Poi, proprio quando sentivo di non farcela più, Bruno mi ha detto che dei giornalisti non c'era più traccia. Allora ho rotto il silenzio radio e chiamato i miei amici. Per sicurezza abbiamo passato la giornata a guardare i telegiornali: in effetti non facevamo più notizia. In un servizio serale ho riconosciuto un inviato, uno tra i più molesti, sempre impegnato a rompere le scatole al citofono ma non più al mio: a quello di una villetta in Brianza, teatro di un raccapricciante episodio di cronaca.

*

Il primo giorno di libertà ero in piedi dalle quattro di mattina e smaniavo come un cane con il guinzaglio in bocca. Un vecchio alla finestra che non guarda i passanti, che non aspetta che spiova e che non pensa che lì dove ci sono quei palazzi un tempo c'era solo campagna, non è un vecchio. Se è alla finestra e trepida in attesa di incontrare il suo amore, quel vecchio è un giovane. Anche se si muove con lentezza, parla biascicando e si dimentica le parole, è tornato a essere la stessa persona di settant'anni prima, finalmente concentrata su un sogno solo. Quindi felice.

Avevo appuntamento con Lauretta alle nove e così ho avuto tutto il tempo per studiare un programma dettagliatissimo. C'erano i presupposti per replicare passo dopo passo la nostra ultima e unica uscita insieme, polpetta di margheritine compresa. Fortunatamente Lauretta aveva stilato un programma tutto suo e quando sono andato a prenderla mi ha accolto con un abbraccio, tanto per chiarire che la mia strategia dell'attesa potevo anche scordarmela. La mia reazione è stata lenta, un po' perché sono fatto così, è inutile rammaricarsi della cosa ogni volta, e un po' perché dopo certi messaggi notturni piuttosto spudorati ho avuto dei problemi a sostenere i suoi sguardi. Ma lei se n'è fregata, mi ha abbracciato, preso per mano e mi ha detto: «Si va a piazza di Spagna!».

Siamo rimasti mano nella mano per tutto il tempo, anche quando i palmi sono diventati scivolosi per il sudore. «Guarda che carini!» ha detto una ragazza mentre passavamo e lo so, non dovrebbero essere cose importanti, ma questa certificazione mi ha fatto bene: eravamo come Orlando e Giuditta, la coppia invidiabile che ora posso smettere di invidiare.

Con i ragazzi abbiamo ripreso subito gli allenamenti perché grazie alla ritrovata forma fisica siamo riusciti a dimezzare le nostre medicine e soprattutto i nostri acciacchi. Durante la camminata mattutina Filippo stava bene, ha pure sorriso per l'ultima sbruffonata di Ettore, che dopo aver raggiunto il suo record personale di venticinque minuti tutti d'un fiato ha detto: «E ora cinque flessioni!» e si è sdraiato su una cacca di cane. Ma quando l'ho incontrato tre ore dopo al bar se ne stava seduto con un'espressione ebete, mi sono avvicinato e mi ha raccontato che aveva fatto un sogno stranissimo. «Ho sognato che avevamo un brutto incidente d'auto e che con noi c'era Berlusconi» mi ha detto. Quell'espressione, che in altri tempi mi avrebbe gelato, mi ha strappato una carezza e la determinazione necessaria per correre subito ai ripari. Maledizione, non succede un cavolo per una vita e quando finalmente hai un'avventura che ti darà materiale per ricordi e discorsi fino alla fine dei tuoi giorni te ne dimentichi? La vecchiaia è spietata ma ha fatto male i suoi conti, qui non c'è nessun vecchio solo e abbandonato da far impazzire a piacimento, qui c'è un commando di partigiani pronto a battersi fino all'ultimo.

Con l'aiuto di Attilio ho raccolto tutti i giornali che hanno parlato della nostra impresa e li ho portati a casa di Filippo. Li ho impilati sopra i numeri di *Grand Hotel* e ogni giorno, tanto per dare una svecchiata al nostro passatempo, trascorriamo almeno un'ora a sfogliarli. Filippo dovrà ricordarsi chi è e cosa è stato capace di fare finché campa.

Abbiamo dato l'addio alle partite a carte e alle bocce, adesso quando siamo al centro studiamo i dettagli del nostro prossimo piano operativo, nome in codice "Pilotina 2". Filippo e io ne abbiamo trovata una a diciottomila euro, è un po' più grande dell'altra perché nell'affare adesso sono entrati anche Lauretta, Fernanda, Ettore e Osvaldo. Passiamo le giornate a programmare un viaggio che dovrebbe portarci con piccole tappe fino in Costa Azzurra. È di sicuro il viaggio più lungo che abbiamo mai messo allo studio, ma ormai ci sentiamo capaci di tutto. Ognuno contribuisce alla spesa secondo le possibilità, e con i nostri interventi come esperti di decoder riusciamo ad accantonare fino a settecento euro al mese. Abbiamo calcolato che tra il reperimento della cifra concordata per l'acquisto della pilotina e le spese per le piccole riparazioni potremmo partire nella primavera del duemilatredici. Ci sono rimasto male, speravo molto prima. «Che fretta hai? Non ci corre mica dietro nessuno» mi ha detto Filippo.

Solo ora, a giochi fatti, mi rendo conto di quanto sono stato fortunato. Non parlo dell'azione, quella mica è fortuna, è strategia sopraffina. Parlo dell'amicizia. Quante possibilità ci sono di trovare persone come Filippo, Ettore, Osvaldo, Lauretta e Fernanda? Quante che il loro spirito sia ancora integro dopo decenni di telequiz ed estrazioni del Lotto? Una volta tanto la sorte mi ha indicato col sorriso benigno. Tu non diventerai ricco, tu non invecchierai con Ada al tuo fianco, tu non dormirai per colpa di un soldato tedesco, e tu, evviva, non resterai mai con le mani in mano a brontolare davanti al televisore.

Dopo la nostra azione dimostrativa, nome in codice postumo "Alligalli", non ho più fatto scenate. Ogni tanto qualche vecchio alza il volume del televisore per provocare una mia reazione però è inutile, mi sento in pace con me stesso. Sarà anche merito del fatto che non prendo più la benzodiazepina, ma sentire che una nuova proposta di legge per ridurre i privilegi dei politici è stata bocciata con soli ventidue voti a favore, che i leader della sinistra litigano tra loro, e che il premier si mantiene attaccato alla sua poltrona sono notizie che non riescono a togliermi il buonumore. Quella è solo la Montecitorio Spa, mi dico, il mondo reale è un'altra cosa. Nella nostra piccola porzione di mondo reale le cose sono molto migliorate. Abbiamo ottenuto il caffè gratis da Enzo, un quotidiano a scelta da Attilio, l'ammirazione dei giovani del quartiere, ed Ettore in particolare le attenzioni di Fernanda. «Fernanda, che mi dài un mezzo litro di rosso?» le ha chiesto al bancone, e lei: «Che te sei preso er viagra pe' le gambe? Potevi chiedermelo dar tavolo, no?». Lo adora, si vede. Osvaldo rispetta scrupolosamente il fioretto fatto per il buon esito della missione e non beve un goccio da mesi. Passate le prime settimane, quando si abbassava a ciucciare il liquore dai cioccolatini, adesso resiste con disinvoltura anche se beviamo davanti a lui, persino se facciamo gli stronzi e schiocchiamo la lingua sul palato dopo ogni sorso. I vecchi del centro sono tutti in fermento. Mentre ce ne stavamo al tavolo a leggere il giornale si sono avvicinati in tre, si guardavano intorno con aria circospetta e hanno iniziato a bisbigliarci: «Non so se avete visto cosa accade a via Bonifaci... sono tornate le ruspe! Mica vorremo restarcene qui e fare finta di niente!».

61.

Adesso Lauretta e io camminiamo sempre mano nella mano, solo in prossimità del centro anziani ci prendiamo sottobraccio come due amici qualsiasi. Non che serva a qualcosa, questo quartiere è pieno di vecchi ed è impossibile fare più di venti metri senza incontrare qualcuno. Capita persino di ritrovarsi alle spalle degli ottantenni che fanno: «Cip cip cip!» o delle vecchie che malignano di proposito ad alta voce: «E lo dicessero che stanno insieme!». Certo che stiamo insieme, e non solo: Lauretta e io stiamo vicini e a volte anche appiccicati, ma non siamo una coppia, non c'è nessun fidanzamento. Le paroline dolci che ci scambiamo sono: «Ti va un bignè a metà?» e le confidenze: «Mi fa di nuovo male l'anca». Non abbiamo bisogno di baciarci perché le nostre mani non fanno altro tutto il giorno. Ogni tanto si separano quando un passante distratto ci passa in mezzo e subito tornano a cercarsi. Non ci siamo mai detti "Ti amo" perché ogni nostro sguardo e ogni nostro gesto è una dichiarazione d'amore.

Di farle fare ginnastica insieme a noi non c'è stato verso, ma ogni giorno la costringo a passeggiare almeno un'ora. Non le dico che è per mantenere bello ampio il suo raggio d'azione, semplicemente la prendo per mano e parto. Questo bisogna fare con la donna della propria vita, bisogna farla camminare, tenerla viva, alimentare la speranza che ci sia un posto in questo mondo nel quale la vecchiaia come lei l'ha sempre immaginata non esiste. E farle sentire che è lì che state andando, mano nella mano.

Da qualche giorno dormiamo insieme a casa mia. Lei indossa sempre una camicia da notte rosa, io un pigiama celeste con i bordi bianchi preso in una delle sue scatole. Ascoltiamo insieme una cassetta del corso di francese, ripetiamo: «*je serai... tu seras... il sera*» e «*nous serons*», il mio preferito, quindi facciamo un'ultima puntatina in bagno, tanto per evitare transumanze notturne. A luce spenta abbiamo sempre lo stesso pensiero: cosa faremo l'indomani. «Domani sarebbe bello andare a Porta Portese» dice lei. «Se non ti fa più male l'anca potremmo anche andare al mare» dico io. È bello addormentarsi pensando a qualcosa di piacevole, pensando che c'è un domani che ti aspetta, tanto per cominciare. Mi sento in pace dopo tanto tempo, ma di dormire per me non se ne parla. Faccio finta, poi appena il respiro di Lauretta diventa più profondo e regolare inizio a vegliarla. Monto la guardia tutta la notte perché un partigiano, anche quando è in pace con se stesso, ha sempre un nemico da combattere e non può permettersi di deporre le armi. Guardo le sue mani incrociate sulla pancia, la bocca leggermente socchiusa, il petto che si alza e si abbassa impercettibilmente. Sono il suo guardiano notturno, un guardiano zelante che non ha cedimenti e lavora fino all'alba con il sorriso sulle labbra. Solo quando Lauretta inizia a svegliarsi e il suo sonno non è più continuo il guardiano può finalmente cedere alla stanchezza e addormentarsi. Quasi subito ho scoperto che si trattava solo di un cambio della guardia. Un giorno ho riaperto gli occhi e l'ho trovata sdraiata accanto a me che mi guardava, ansiosa e serena al tempo stesso.

Sento con chiarezza che saremo qui finché avremo la forza di vegliarci. E non è da escludere che sia per sempre.

Testamento VIII

Roma, 10 settembre 2010.

Io, Angelo Di Ventura, nel pieno possesso delle mie facoltà fisiche e mentali, con la presente scrittura dispongo che la proprietà di tutte le mie sostanze venga suddivisa in parti uguali tra i miei amici Filippo Baldi, Laura De Bernardinis, Ettore Pacini e Osvaldo Antonelli. Ai miei due nipoti lascio in eredità Filippo Baldi, Laura De Bernardinis, Ettore Pacini e Osvaldo Antonelli con la speranza che ne comprendano presto l'inestimabile valore.

Nomino mio esecutore testamentario il signor Filippo Baldi (e in caso di sua momentanea indisponibilità, ci siamo capiti, la signora Laura De Bernardinis).

Nota sull'Autore

Fabio Bartolomei è nato a Roma, dove vive. Scrittore poliedrico, è anche autore di sceneggiature. Nel 2004 ha vinto il Globo d'Oro con il cortometraggio *Interno 9*. Nel 2011 le Edizioni E/O hanno pubblicato il suo primo romanzo, *Giulia 1300 e altri miracoli*, e nel 2013 *We Are Family*. Insegna scrittura creativa.